창의력·집중력

창의력편

1권

7세

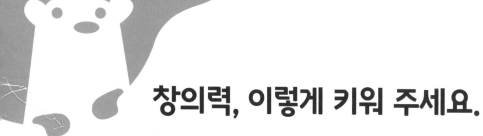

창의력, 이렇게 키워 주세요.

7세 아이의 창의력이란 무엇일까요?

어른의 창의력이 다양한 경험을 바탕으로 한 호기심의 결과물이라면, 경험이 적은 7세 아이의 창의력은 사물을 다양한 관점에서 바라볼 수 있는 능동성이에요. 그렇기 때문에 아이의 생각의 방향과 자세를 잡아 주는 것만으로도 훌륭한 창의력 교육이라고 할 수 있어요.

창의력과 뇌는 어떤 관계가 있을까요?

창의력은 뇌가 자라는 것과 비슷한 속도로 형성되는데, 초등학교 2~3학년 때 정점을 찍어요. 그런데 이 시기에 무조건적인 암기와 이해 위주의 교육이 창의력의 발달을 방해할 수 있어요. 그렇기 때문에 초등학교에 가기 전부터 창의적인 사고를 유지할 수 있는 능력을 길러주어야 해요.

이 책으로 창의력을 어떻게 기를 수 있을까요?

이 책은 1(하루), 1(한 주제), 2(두 문제)의 규칙적인 학습으로 좌뇌와 우뇌를 동시에 발달시킬 수 있어요.

초등 교육 과정에서 뽑아낸 다양한 주제로 좌뇌와 우뇌 영역의 문제를 풀면서 통합적인 사고력을 키울 수 있어요.

좌뇌
언어 기능을 중심으로
이성적·논리적 사고

우뇌
시각 기능을 중심으로
직관적·감성적 사고

언어
언어 표현과 응용, 문장 구사

수리
수와 양에 대한 논리적 사고

상식
생활 지식, 자연의 원리 이해

비교
크기, 길이, 순서, 무게 등의 비교

논리
추리하고 예측하는 종합적 사고

위치
위치에 따른 상황 변화 이해

구별
부분과 전체, 색깔과 크기 구분

기억
사물의 특징적인 부분 관찰

모양
모양의 특징, 넓이, 대칭 이해

규칙
규칙 파악을 통한 종합적 예측

초등 교육 과정에서 뽑아낸 50가지 주제
동물, 음악, 우주, 국기, 시간, 탈것, 화석, 식물 ……

창의력, 이렇게 구성했어요!

주제 이름 초등 교육 과정에서 엄선하여 뽑아낸 50가지의 주제로 구성했어요.

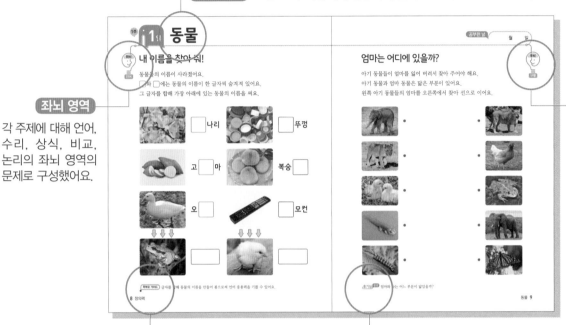

좌뇌 영역

각 주제에 대해 언어, 수리, 상식, 비교, 논리의 좌뇌 영역의 문제로 구성했어요.

우뇌 영역

각 주제에 대해 위치, 구별, 기억, 모양, 규칙의 우뇌 영역의 문제로 구성했어요.

학부모 가이드

문제를 풀어 봄으로써 기를 수 있는 영역에 대한 설명이에요.

호기심 팡팡

아이의 생각의 나래를 펼치게 해 주는 호기심 질문이에요.

QR코드

소리나 음악을 듣고 상상하는 활동을 할 수 있는 문제로 구성했어요. 부모님이 QR코드를 찍어서 아이에게 들려주면 아이는 넓은 생각의 나래로 빠져들 것이에요.

생각 쑥쑥

아이의 인성 및 사회성을 기를 수 있는 이야기로 구성했어요. 생명의 소중함, 생활 안전 및 습관, 감정의 표현 등 다양한 주제에 대해 아이 스스로 생각해 볼 수 있어요.

10주 완성 계획표

1주

	1일	2일	3일	4일	5일
쪽수	8~9쪽	10~11쪽	12~13쪽	14~15쪽	16~17쪽
공부한 날	월 일	월 일	월 일	월 일	월 일
확인					

2주

	1일	2일	3일	4일	5일
쪽수	20~21쪽	22~23쪽	24~25쪽	26~27쪽	28~29쪽
공부한 날	월 일	월 일	월 일	월 일	월 일
확인					

3주

	1일	2일	3일	4일	5일
쪽수	32~33쪽	34~35쪽	36~37쪽	38~39쪽	40~41쪽
공부한 날	월 일	월 일	월 일	월 일	월 일
확인					

4주

	1일	2일	3일	4일	5일
쪽수	44~45쪽	46~47쪽	48~49쪽	50~51쪽	52~53쪽
공부한 날	월 일	월 일	월 일	월 일	월 일
확인					

5주

	1일	2일	3일	4일	5일
쪽수	56~57쪽	58~59쪽	60~61쪽	62~63쪽	64~65쪽
공부한 날	월 일	월 일	월 일	월 일	월 일
확인					

6주	1일	2일	3일	4일	5일
쪽수	68~69쪽	70~71쪽	72~73쪽	74~75쪽	76~77쪽
공부한 날	월 일	월 일	월 일	월 일	월 일
확인					

7주	1일	2일	3일	4일	5일
쪽수	80~81쪽	82~83쪽	84~85쪽	86~87쪽	88~89쪽
공부한 날	월 일	월 일	월 일	월 일	월 일
확인					

8주	1일	2일	3일	4일	5일
쪽수	92~93쪽	94~95쪽	96~97쪽	98~99쪽	100~101쪽
공부한 날	월 일	월 일	월 일	월 일	월 일
확인					

9주	1일	2일	3일	4일	5일
쪽수	104~105쪽	106~107쪽	108~109쪽	110~111쪽	112~113쪽
공부한 날	월 일	월 일	월 일	월 일	월 일
확인					

10주	1일	2일	3일	4일	5일
쪽수	116~117쪽	118~119쪽	120~121쪽	122~123쪽	124~125쪽
공부한 날	월 일	월 일	월 일	월 일	월 일
확인					

차례

1주

1일 동물
좌뇌 우뇌
언어 | 구별

2일 공룡
좌뇌 우뇌
수리 | 모양

3일 새
좌뇌 우뇌
언어 | 구별

4일 곤충
좌뇌 우뇌
상식 | 구별

5일 생물
좌뇌 우뇌
상식 | 모양

좌뇌
언어

내 이름을 찾아 줘!

동물들의 이름이 사라졌어요.

☐와 ☐에는 동물의 이름이 한 글자씩 숨겨져 있어요.

그 글자를 합해 가장 아래에 있는 동물의 이름을 써요.

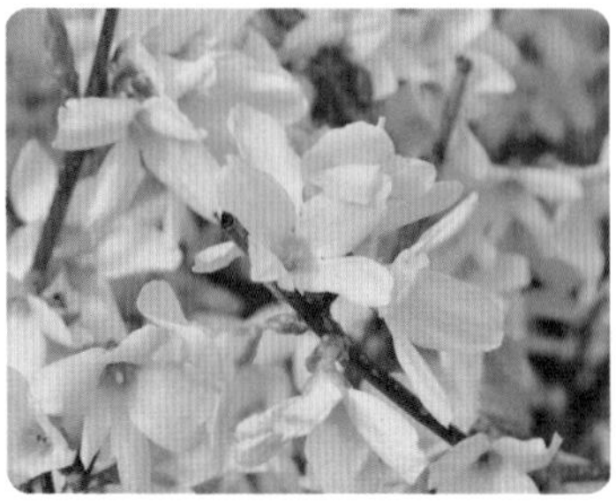

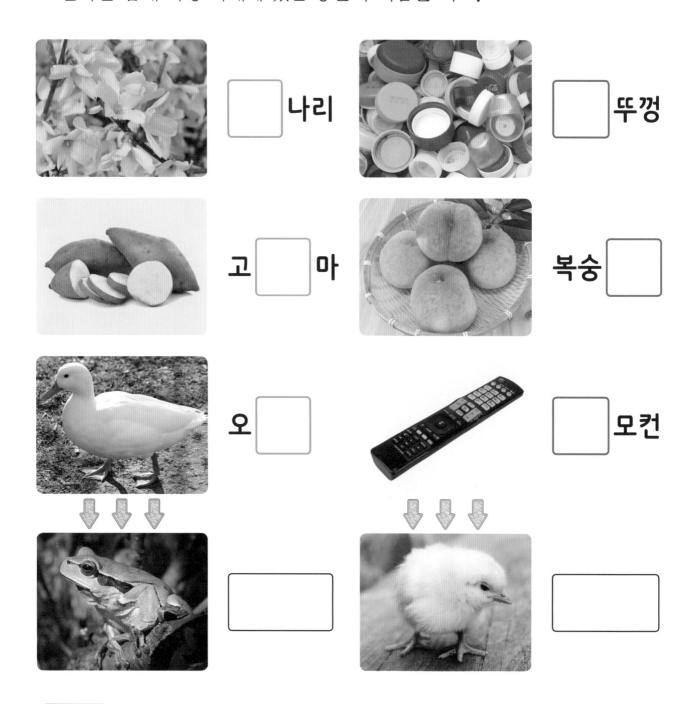

☐ 나리

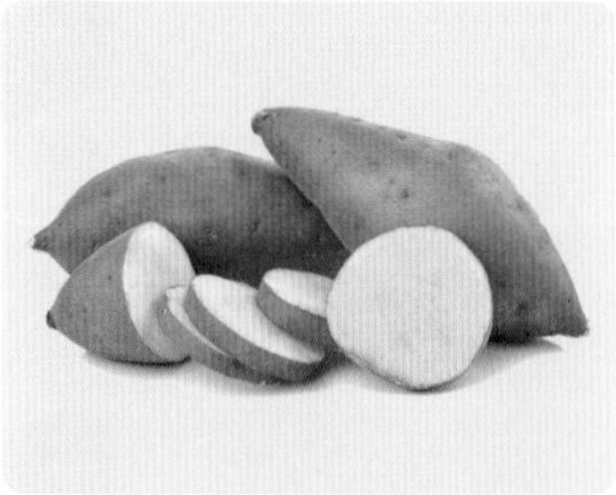

☐ 뚜껑

고 ☐ 마

복숭 ☐

오 ☐

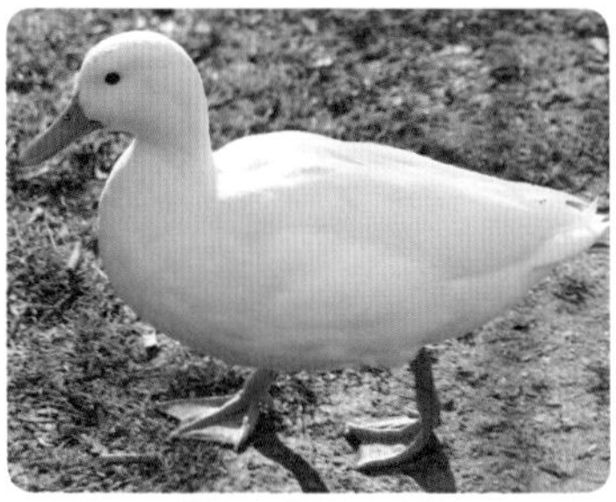

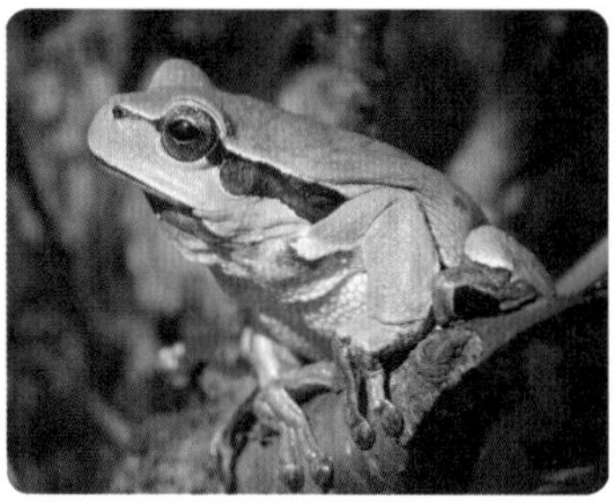

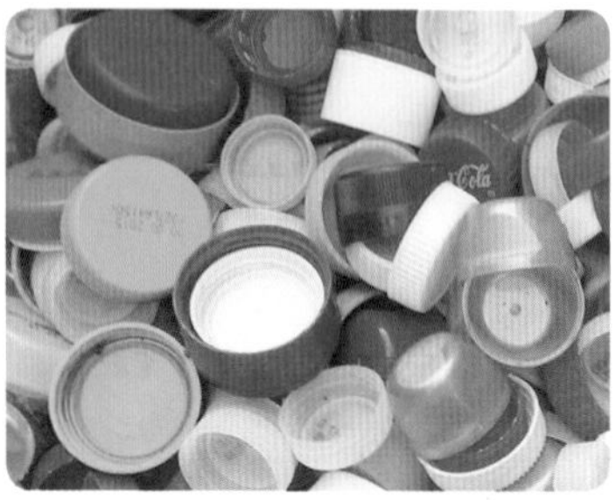

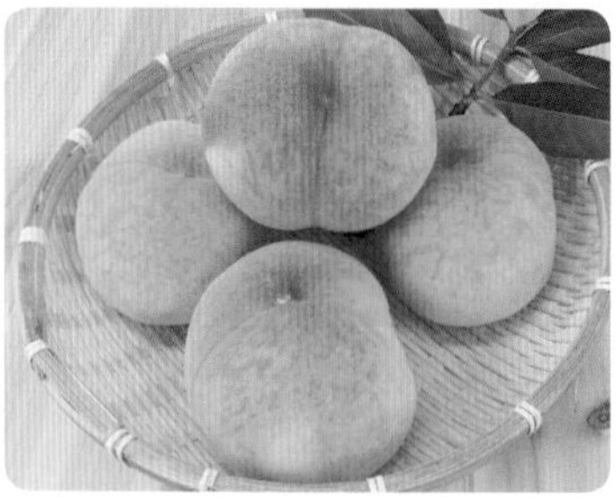

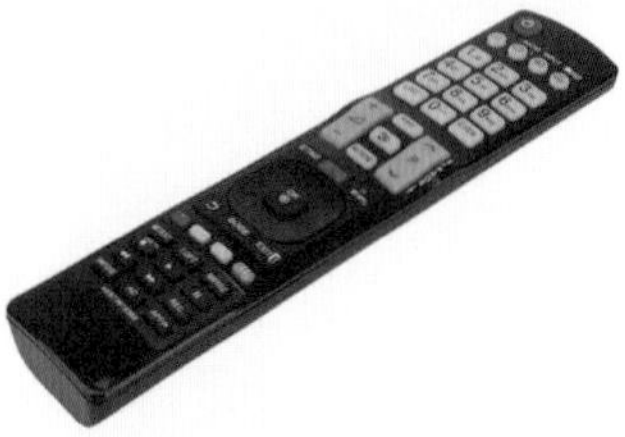

☐ 모컨

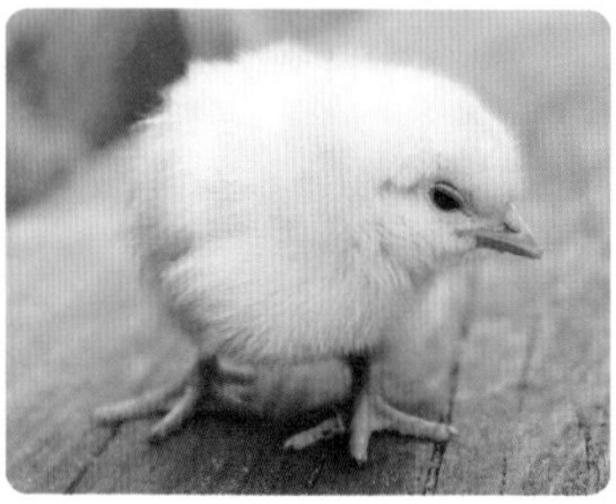

학부모 가이드 글자를 합해 동물의 이름을 만들어 봄으로써 언어 응용력을 기를 수 있어요.

우뇌

구별

엄마는 어디에 있을까?

아기 동물들이 엄마를 잃어 버려서 찾아 주어야 해요.
아기 동물과 엄마 동물은 닮은 부분이 있어요.
왼쪽 아기 동물들의 엄마를 오른쪽에서 찾아 선으로 이어요.

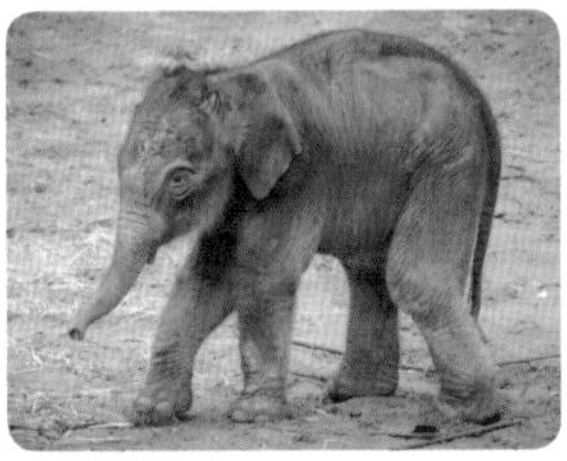

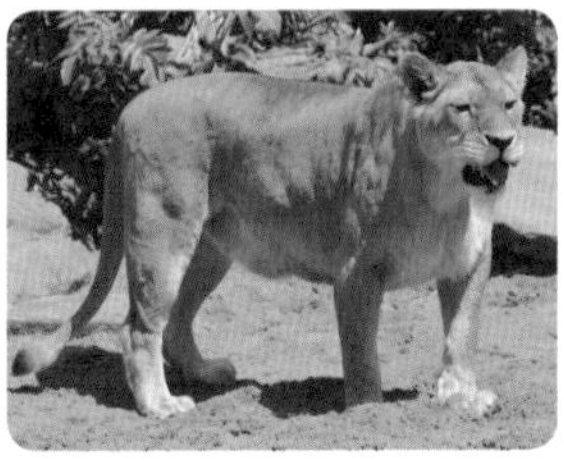

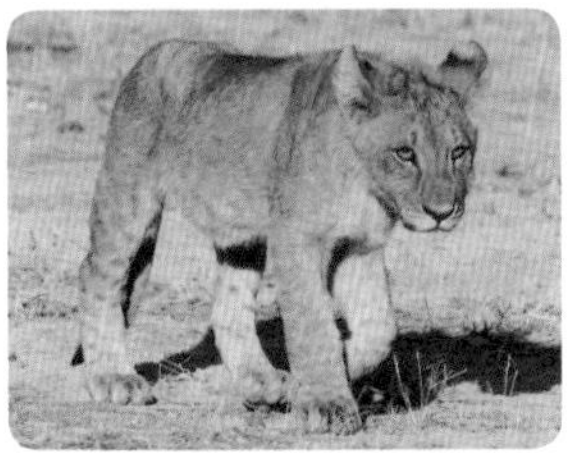

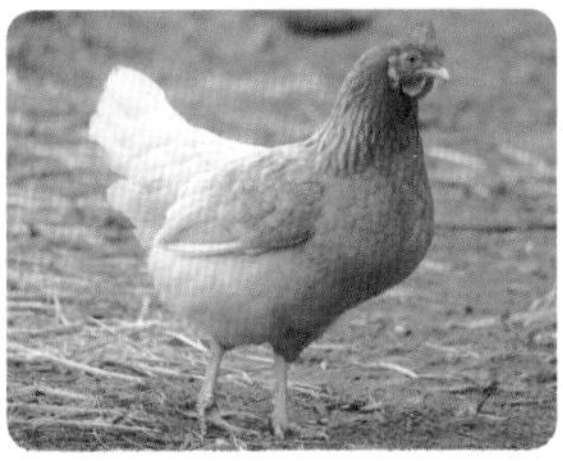

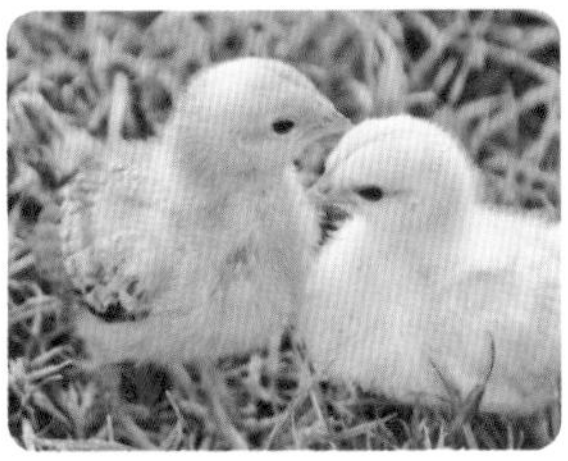

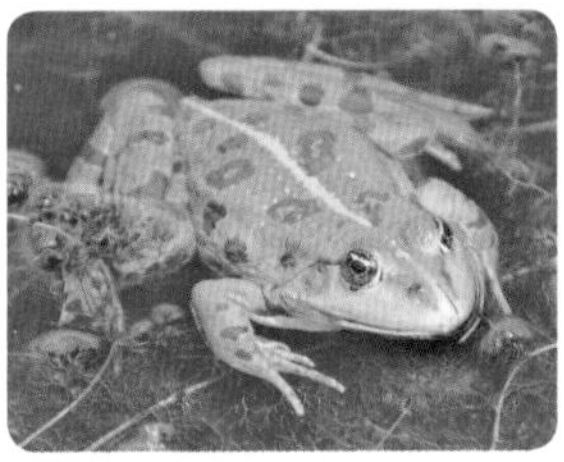

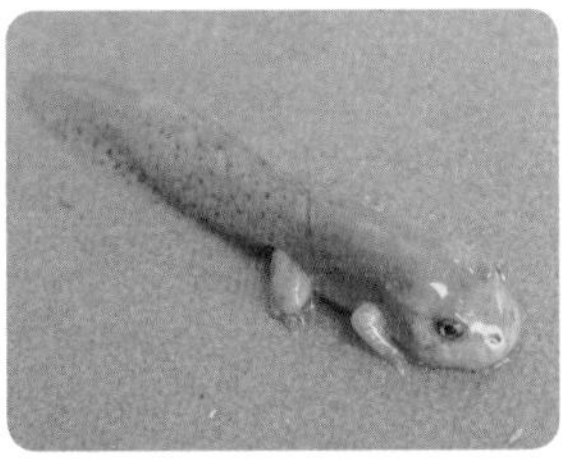

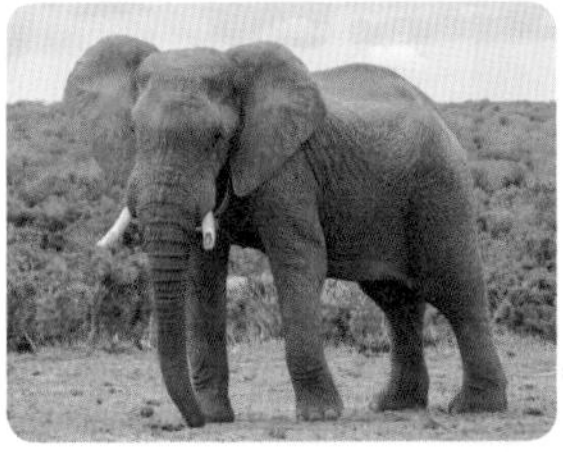

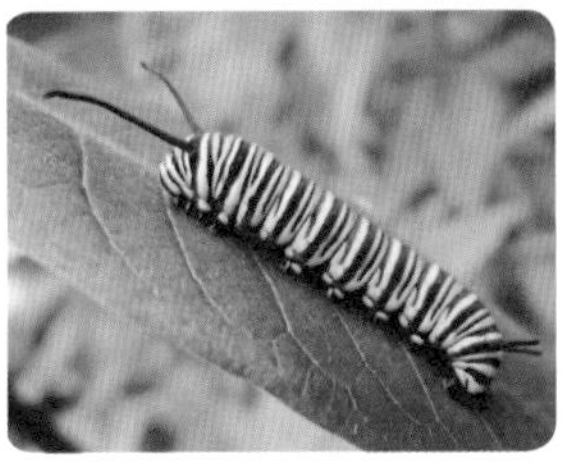

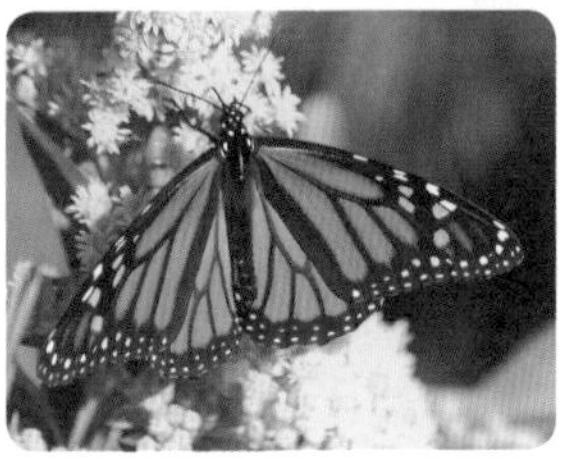

호기심 팡팡 엄마와 나는 어느 부분이 닮았을까?

2일 공룡

좌뇌
수리

키가 가장 큰 공룡은 누구일까?

아래 힌트에 공룡의 키를 재는 방법이 있어요.

힌트를 보고, 왼쪽 빨간 막대를 이용하여 공룡의 키를 재서 숫자로 써요.

그 다음, 키가 가장 큰 공룡을 찾아 ○ 해요.

> 힌트 빨간 막대 1개의 길이는 2미터를 나타내요.

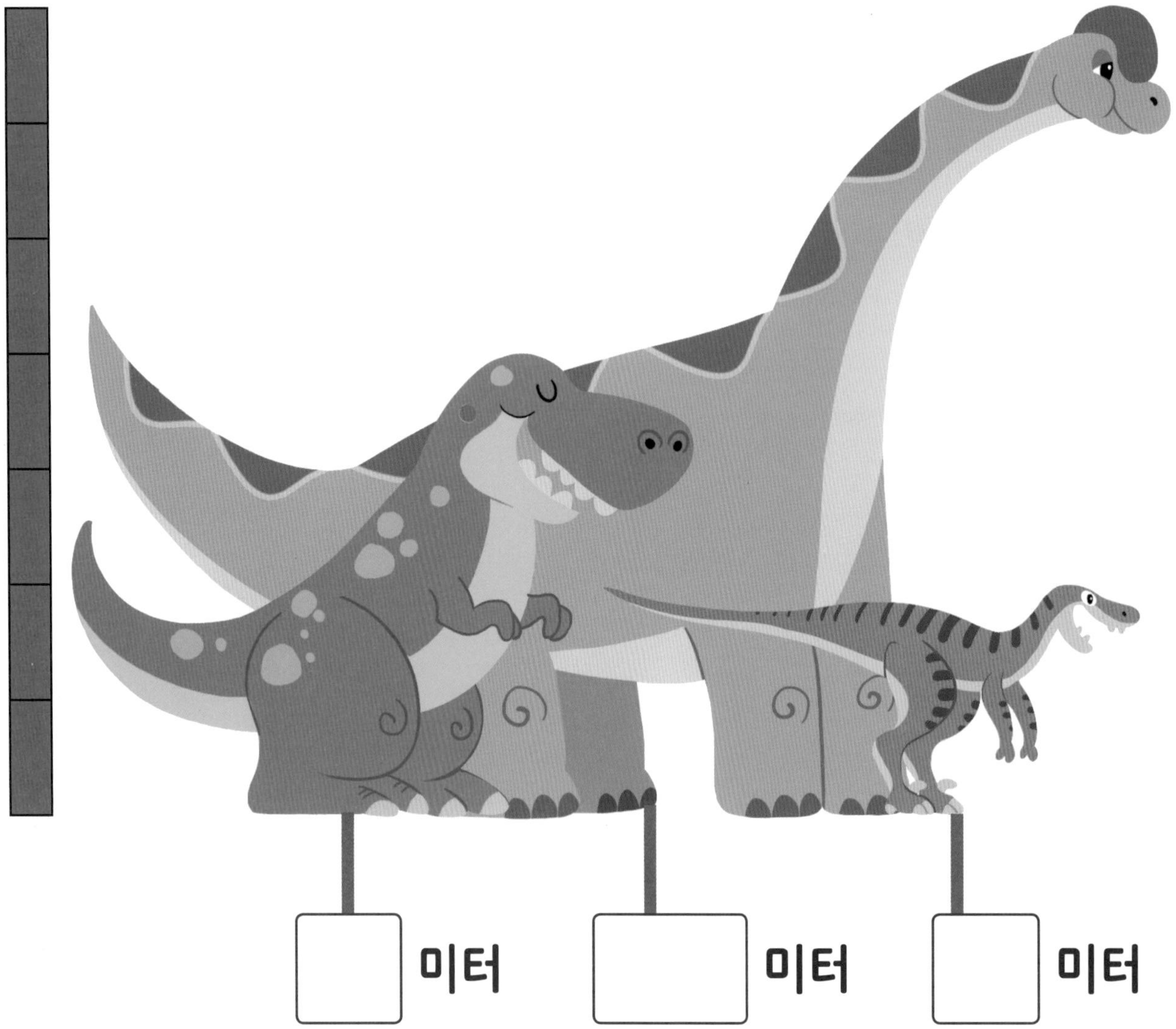

미터   미터   미터

학부모 가이드 주어진 조건으로 공룡의 키를 재어 봄으로써 수리적 사고력을 기를 수 있어요.

우뇌

모양

공룡 가족을 찾아라!

여행을 가는 공룡 가족이 있어요.

아래 **힌트** 에 아빠 공룡, 엄마 공룡, 아기 공룡 발자국 모양이 있어요.

아빠와 엄마 사이에 아기가 걸어가는 공룡 가족을 찾아 ○ 해요.

힌트 아빠 발자국은 ●, 엄마 발자국은 ▲, 아기 발자국은 ■ 모양이에요.

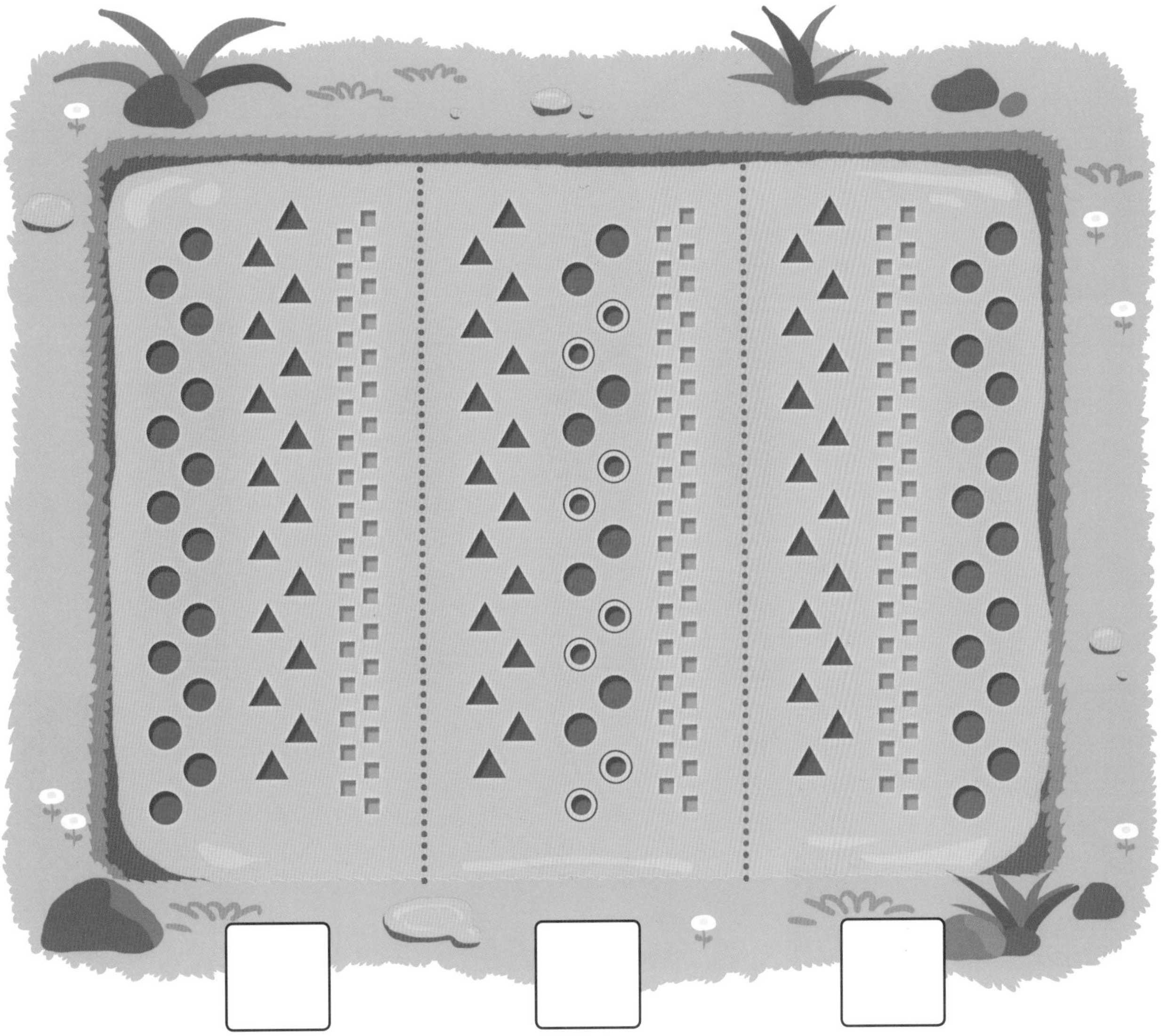

호기심 팡팡 지금도 공룡들이 지구에 살고 있을까?

좌뇌 언어

들어 봐, 나의 소리를!

새들이 울음소리를 내며 자기의 이름을 말하고 있어요.

울음소리를 잘 들으면 그 새의 이름이 들린 답니다.

아래 새 울음소리를 잘 듣고, 알맞은 새의 이름을 찾아 ◯ 해요.

QR코드를 찍어
소리를 들어 보세요.

닭

뻐꾸기

갈매기

QR코드를 찍어
소리를 들어 보세요.

오리

참새

까마귀

학부모 가이드) 새 울음소리에서 들리는 특징을 파악해 새 이름과 관련지어 봄으로써 언어 추리력을 기를 수 있어요.

우뇌

구별

내 짝꿍은 누구일까?

엄마, 아빠와 같이 새들도 자기의 짝꿍이 있어요.
짝꿍은 서로 비슷하게 생겼답니다.
왼쪽 새의 짝꿍을 오른쪽에서 찾아 선으로 이어요.

 •

 •

 •

•

 •

•

 •

•

호기심 팡팡 엄마와 아빠는 어느 부분이 닮았을까?

곤충

나비의 탄생!

나비는 태어날 때부터 예쁜 모습은 아니에요.

태어나서 예쁜 나비가 될 때까지 모습이 계속 변해요.

아래 ➡ 에서 시작하여 점을 이으면서 나비가 자라는 모습을 확인해요.

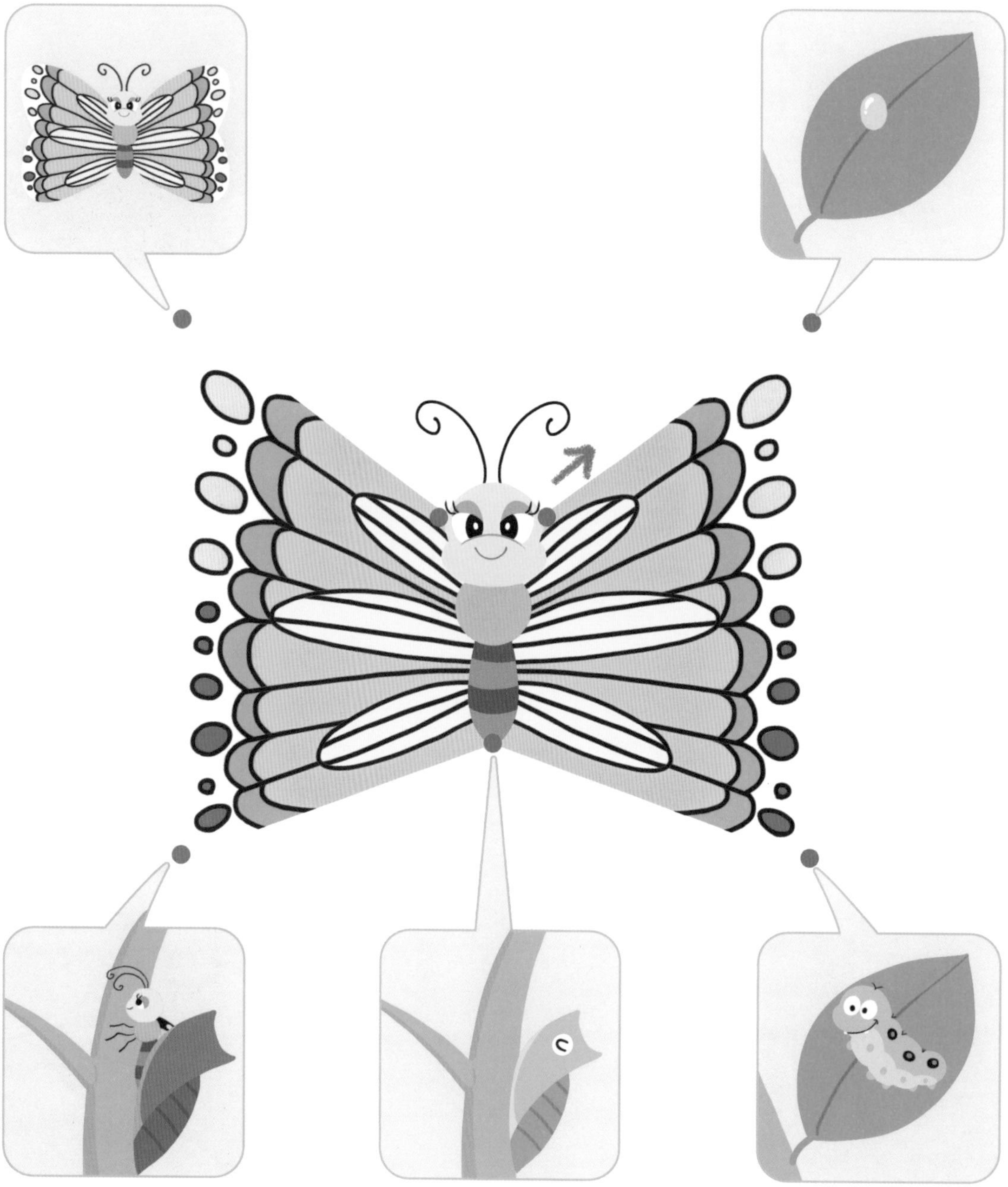

학부모 가이드 점을 이어 알에서 나비가 되기까지의 모습을 확인하면서 자연의 원리를 이해할 수 있어요.

우뇌
구별

도둑 곤충을 찾아라!

곰의 집에 몰래 들어와서 꿀을 가져간 곤충이 있어요.
감시 카메라에 그 곤충이 문으로 나가는 모습이 조금 찍혔어요.
꿀을 가져간 곤충을 아래에서 찾아 ◯ 해요.

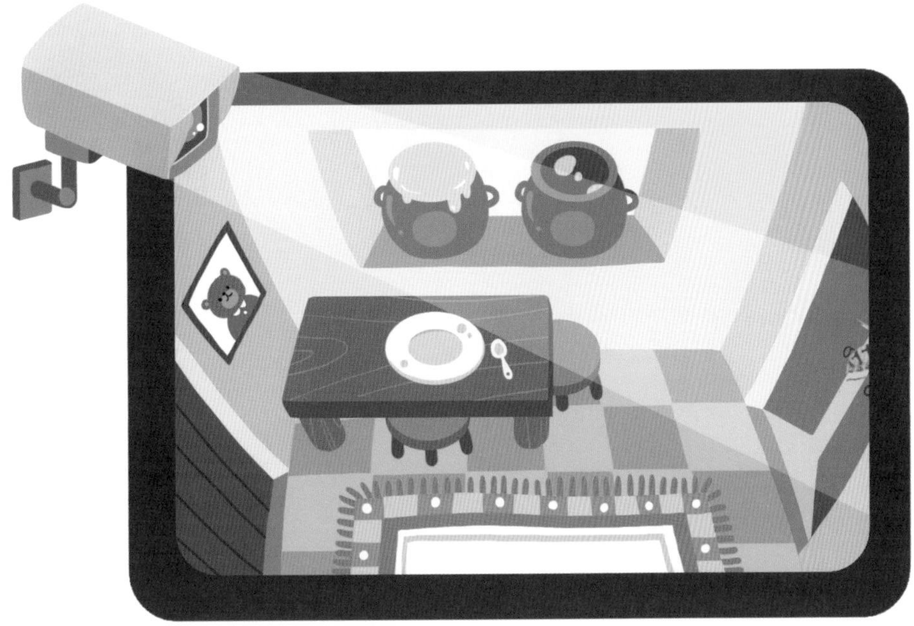

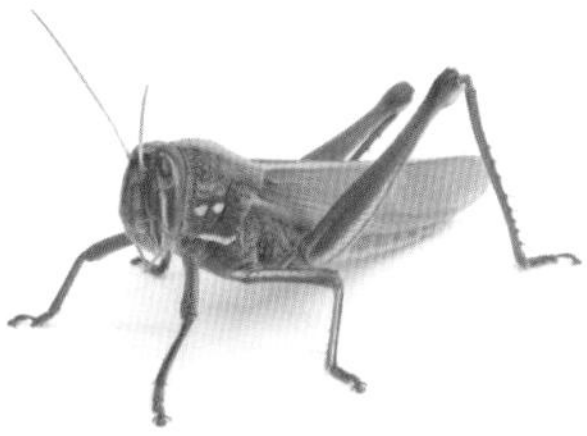

메뚜기

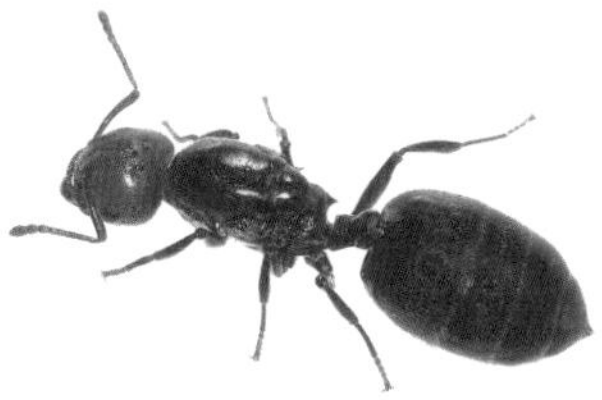

개미

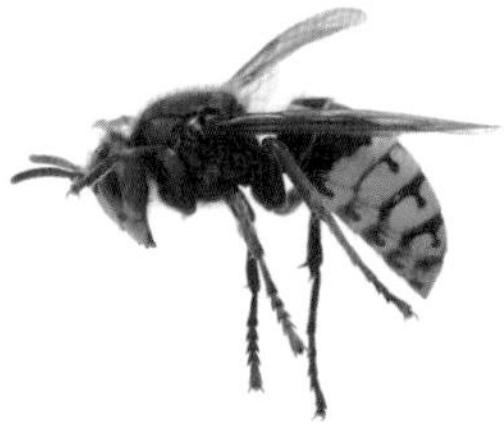

벌

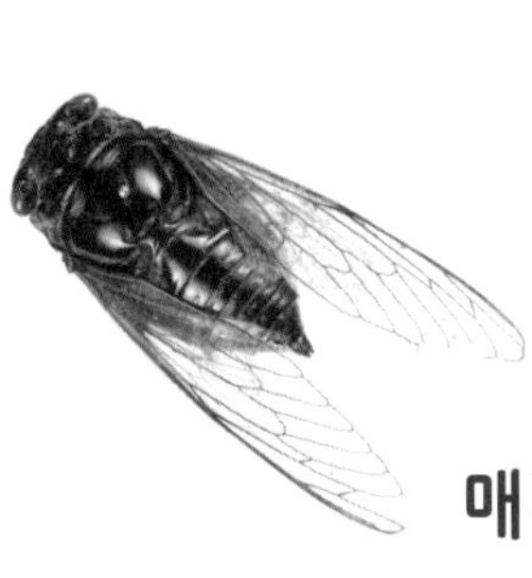

매미

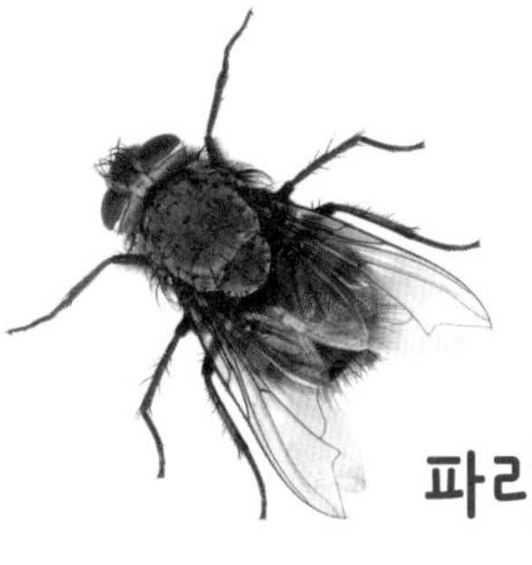

파리

호기심 팡팡 어떤 곤충을 가장 좋아하니?

생물

누가 숨을 쉬고 있을까?

사람처럼 동물과 식물도 숨을 쉬어요.

이렇게 살아서 숨을 쉬는 것을 생물이라고 해요.

아래 그림에서 생물을 모두 찾아 ◯ 해요.

인형

나무

원숭이

자동차

초콜릿

꽃

학부모 가이드 생물과 생물이 아닌 것을 구분해 봄으로써 과학적 생활 상식을 넓힐 수 있어요.

우뇌

모양

세균도 모양이 있다고?

생물 중에서 가장 작고 단순한 것을 세균이라고 해요.

세균은 우리 눈에 보이지 않지만 여러 가지 모양을 가지고 있어요.

왼쪽 세균의 모습과 닮은 물건을 오른쪽에서 찾아 ◯ 해요.

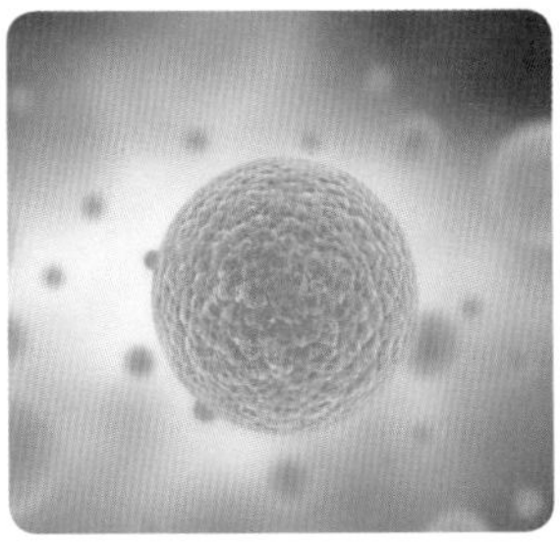

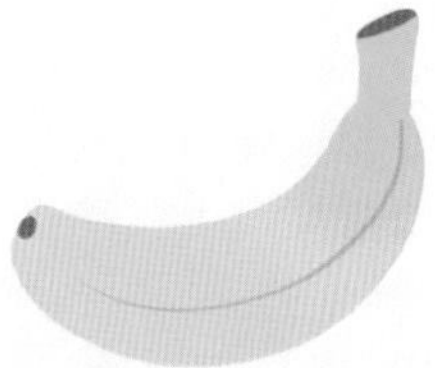

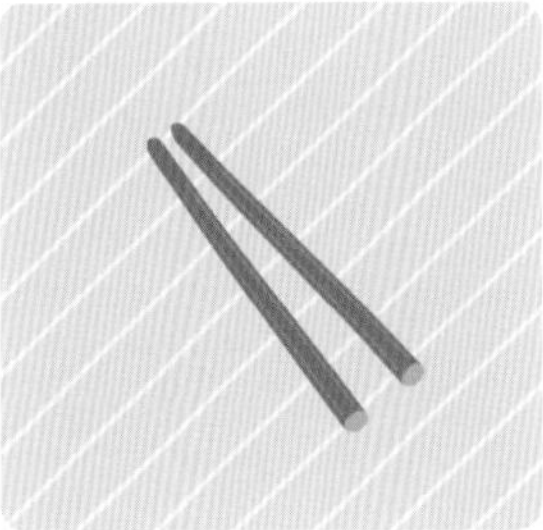

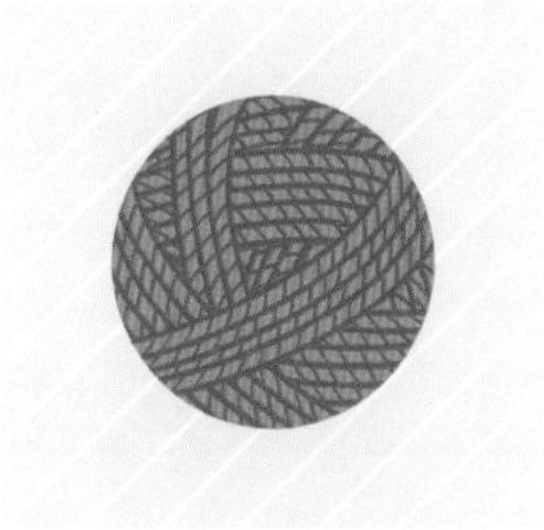

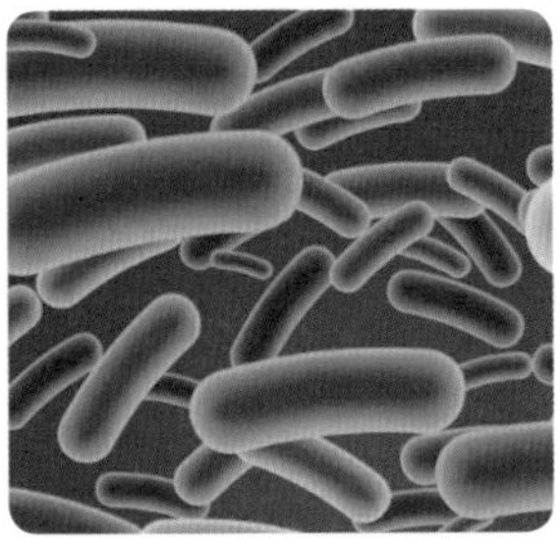

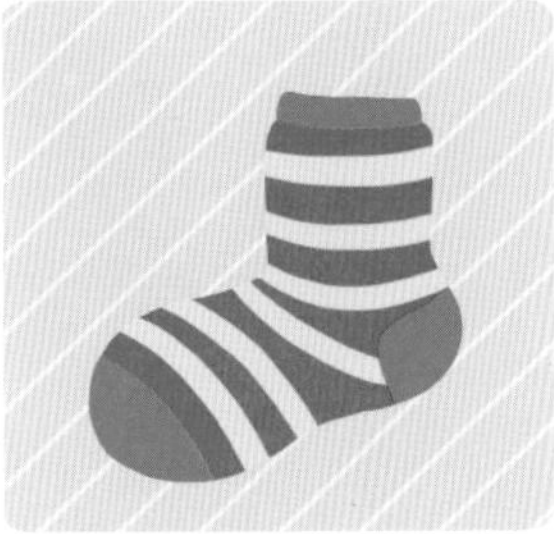

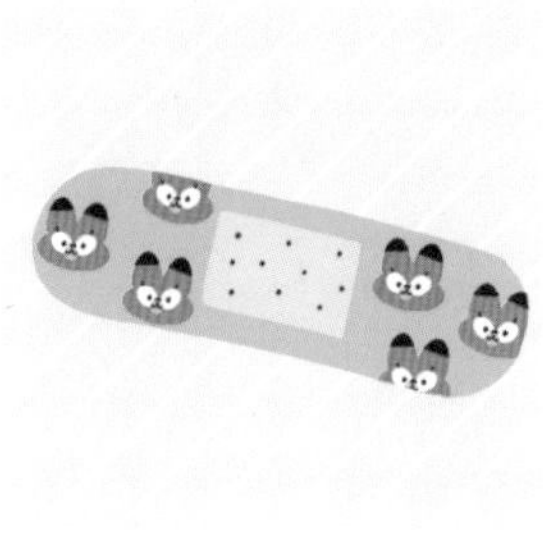

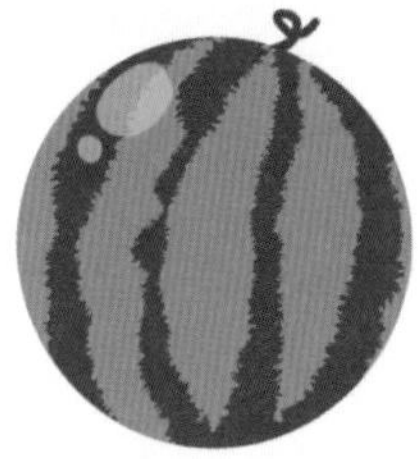

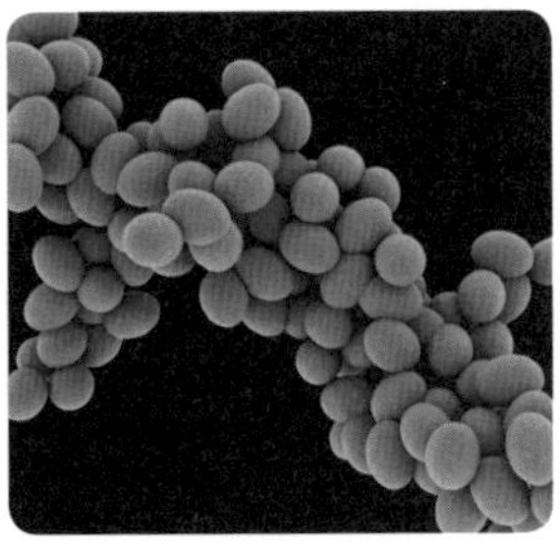

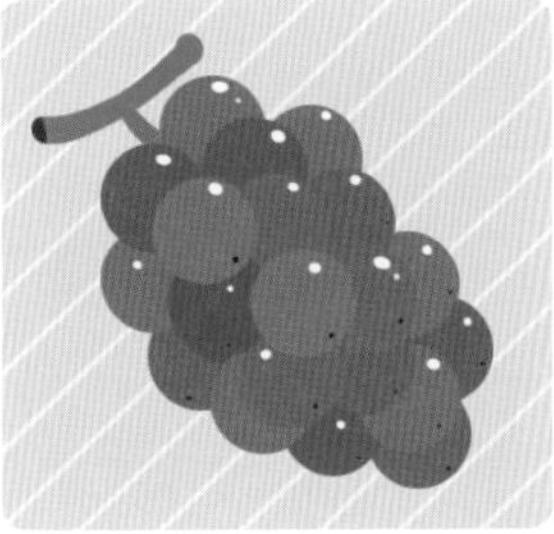

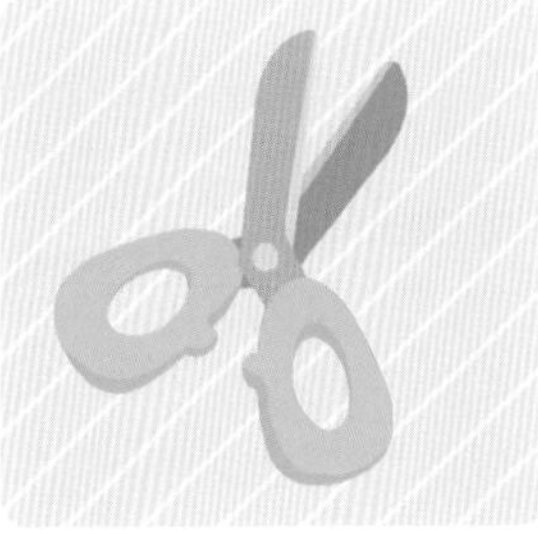

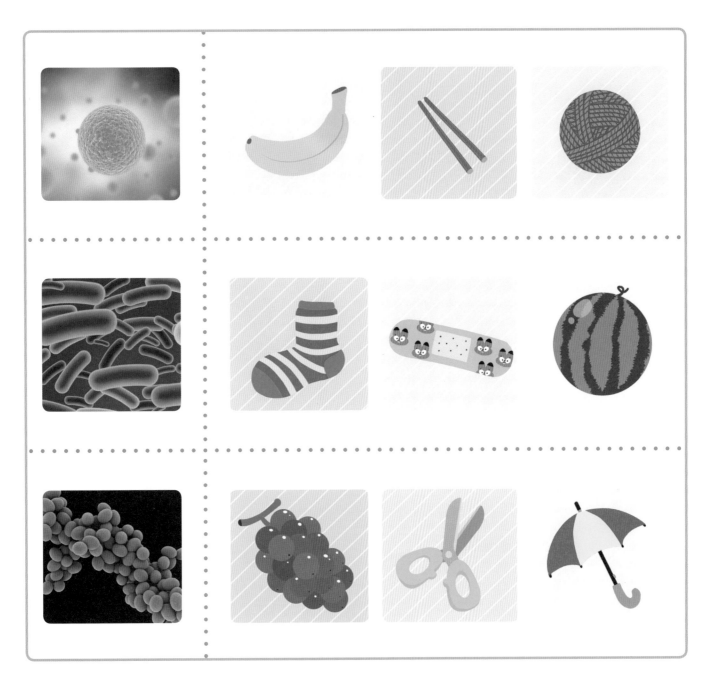

호기심 팡팡 왜 밥 먹기 전에 손을 씻어야 할까?

생명은 소중해요

사람의 생명이 소중한 것처럼,
동물과 식물의 생명도
하나하나 모두 소중해.

준오가 꽃을 꺾고, 개미를 발로 밟고 있어.
장난꾸러기 준오에게 어떻게 말해 줄까?

> 준오야 꽃을 많이 꺾어.
> 엄마가 감동받으실 거야.

> 준오야 개미를 죽이지 마.
> 개미도 소중한 생명이 있어.

2주

음악

좌뇌 / 언어

랄랄라~ 노래를 부르자!

신나는 '도레미 송'이에요.

음악을 듣고 노래를 부르면서 '도, 레, 미, 파, 솔, 라, 시'로

시작하는 이름을 가진 그림을 골라 ○ 해요.

도레미 송

QR코드를 찍어 음악을 들어 보세요.

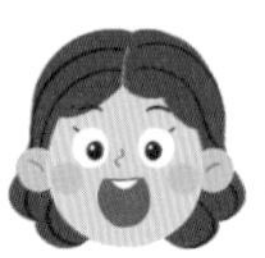

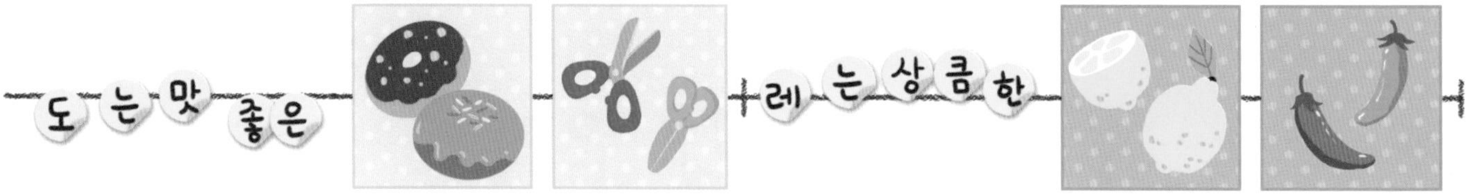

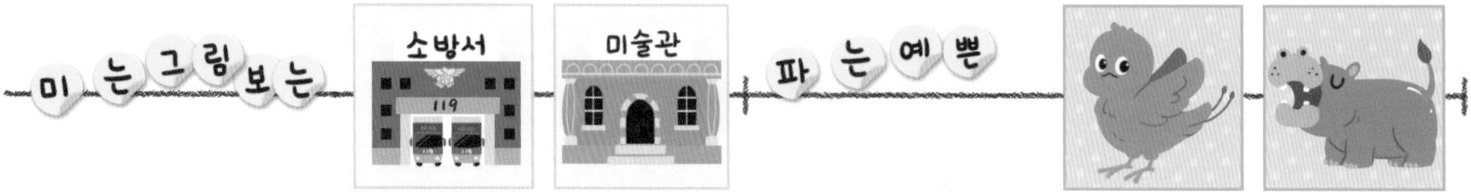

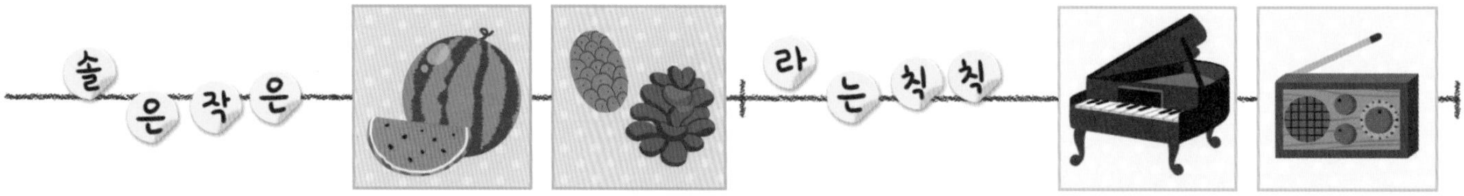

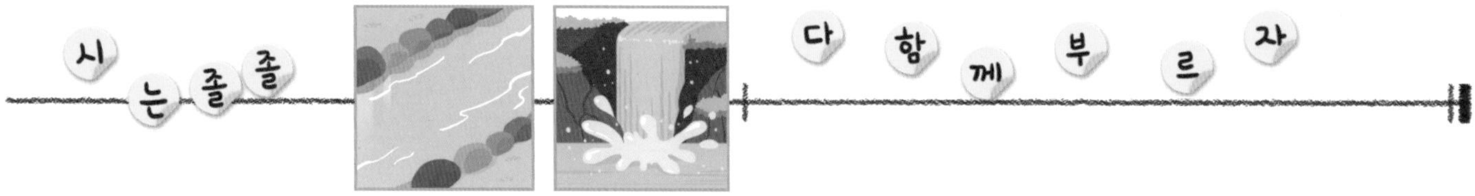

학부모 가이드 일상생활에서 보고 느꼈던 것들의 특징을 기억해 보면서 언어 기억력을 기를 수 있어요.

우뇌

기억

음악을 들으며 상상해 봐!

음악은 마술사 같아요.

음악을 들으면 마치 그 장소에 있는 것 같은 기분이 들어요.

아래 음악을 들으면서 음악과 어울리는 모습을 찾아 ○ 해요.

QR코드를 찍어 음악을 들어 보세요.

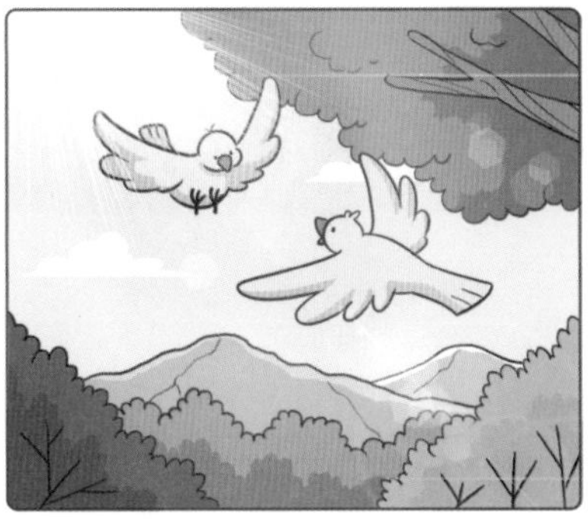 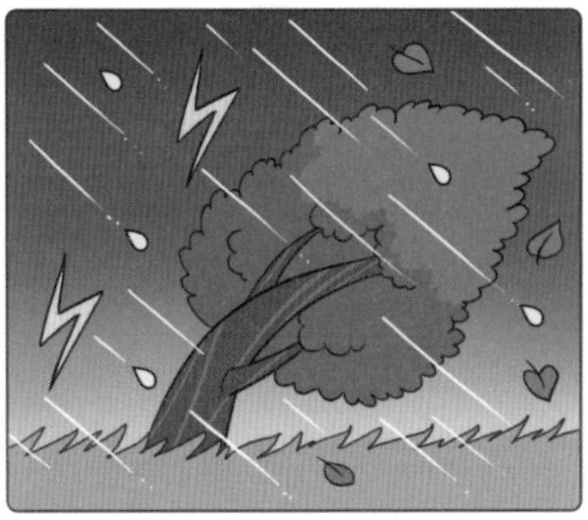 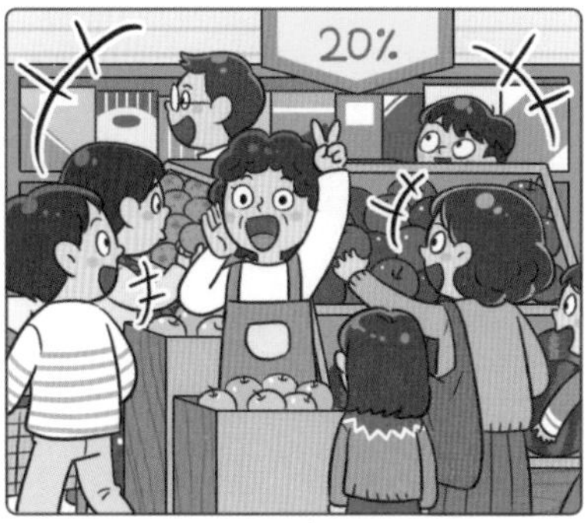

QR코드를 찍어 음악을 들어 보세요.

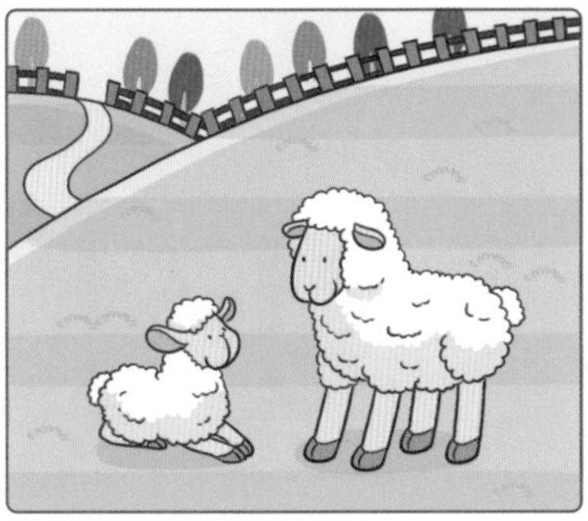 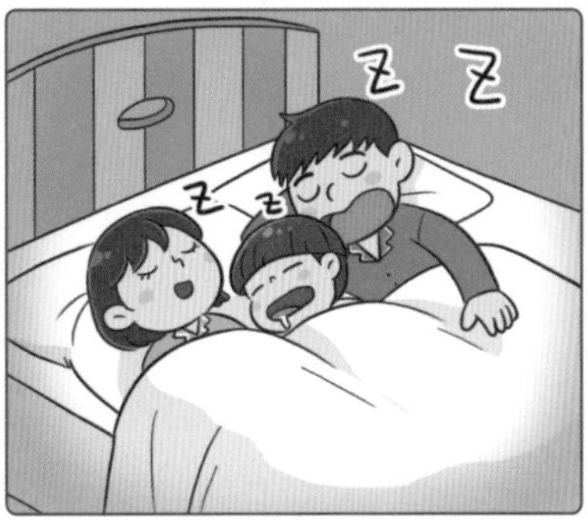 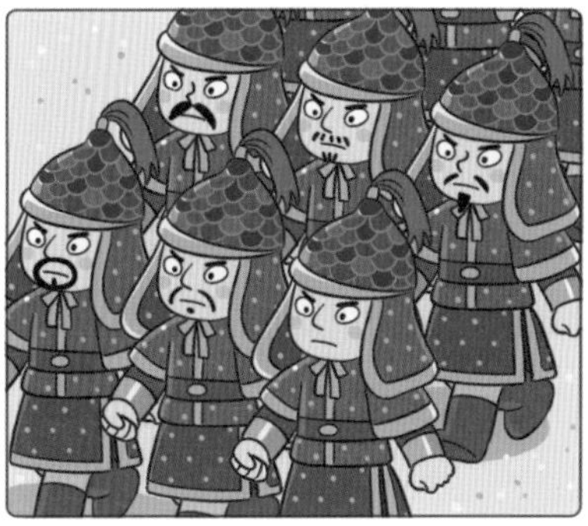

호기심 팡팡 기분이 즐거울 때는 어떤 음악이 생각나니?

색깔

내 색깔을 찾아봐!

여러 가지 색깔의 상자가 있어요.

그 상자에 여러 가지 색깔 이름이 쓰여 있어요.

자기 이름과 같은 색깔이 칠해진 낱말을 모두 찾아 ◯ 해요.

학부모 가이드 상자에 칠해진 색깔과 낱말에 칠해진 색깔을 구분해 보면서 논리적 사고력을 기를 수 있어요.

우뇌

기억

어떤 색깔일까?

우리 주변은 모두 색깔이 칠해져 있어요.
왼쪽 이름표에 있는 것들은 자기만의 색깔이 있어요.
떠오르는 색깔의 물감을 오른쪽에서 찾아 선으로 이어요.

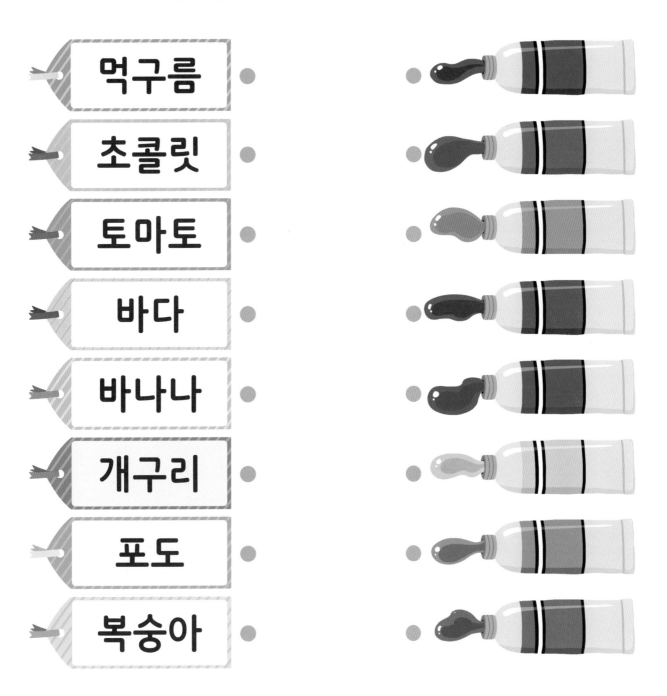

먹구름	
초콜릿	
토마토	
바다	
바나나	
개구리	
포도	
복숭아	

호기심 팡팡 친구들과 신나게 놀 때 내 기분은 무슨 색깔일까?

블록

2주 3일

어떤 이야기일까?

원숭이가 주인공인 4개의 그림이 있어요.

4개의 그림을 잘 연결하면 하나의 이야기가 만들어져요.

이야기가 만들어지도록 순서를 찾아 1부터 차례대로 빈칸에 숫자를 써요.

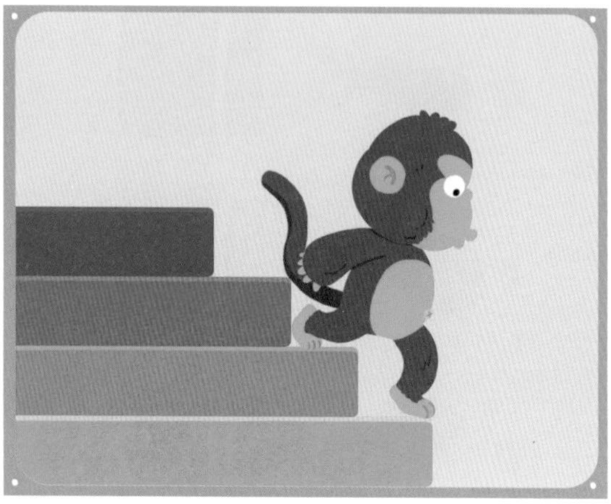

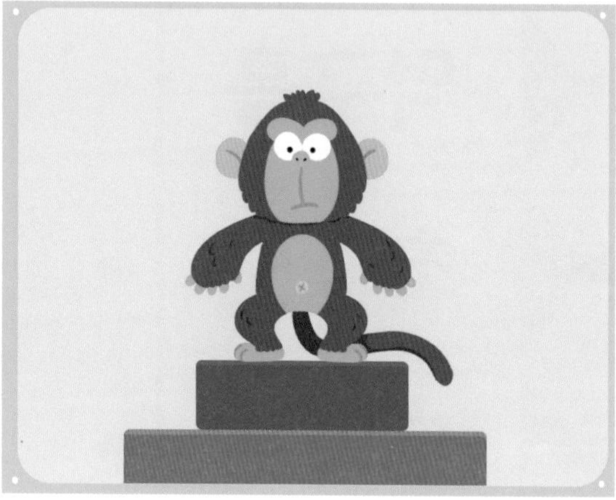

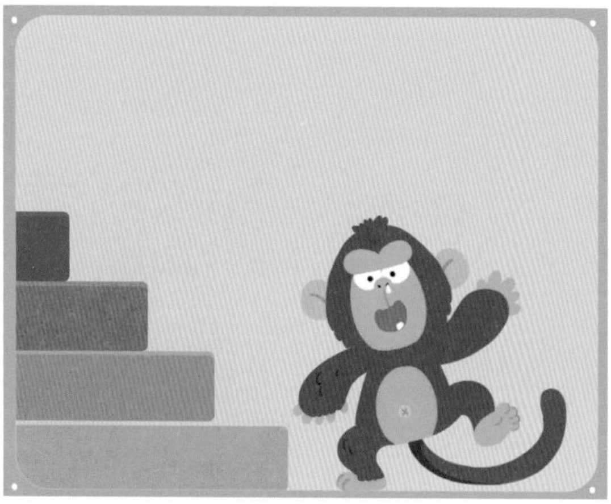

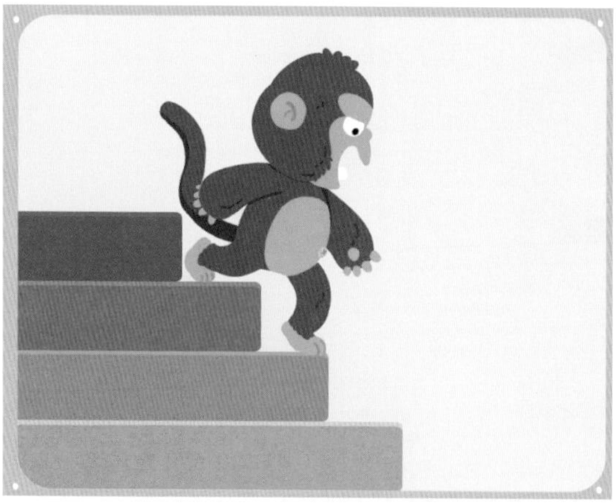

학부모 가이드 원숭이의 행동에서 나타나는 특징을 파악해 보면서 논리적 사고력을 기를 수 있어요.

우뇌

위치

보이는 모습이 전부일까?

땅에 있는 것을 하늘에서 보면 다른 모습이 보여요.
다음과 같이 쌓은 블록을 위에서 보면 어떤 모습일까요?
알맞은 모습을 아래에서 찾아 ○ 해요.

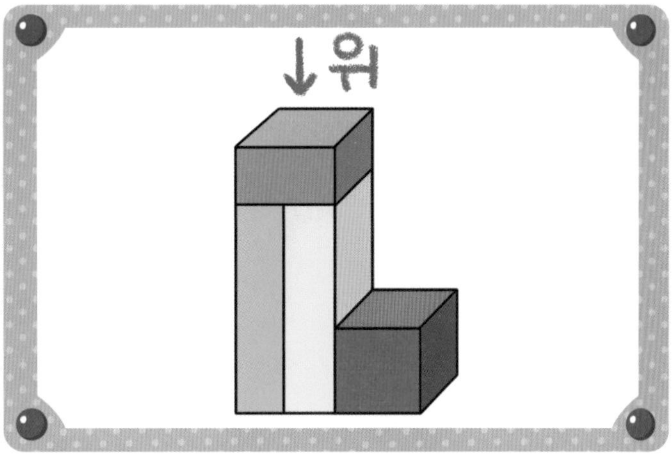

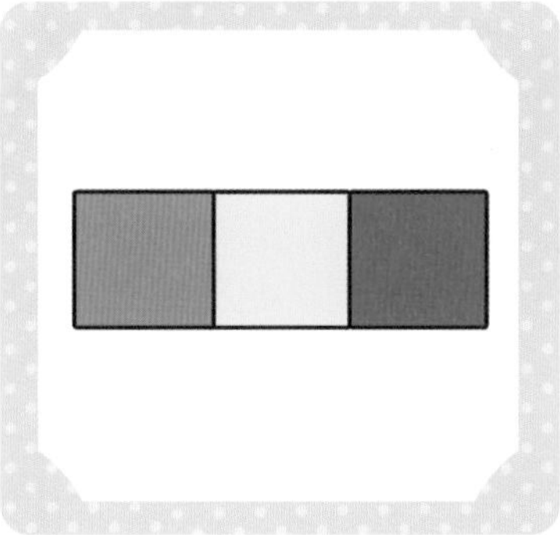

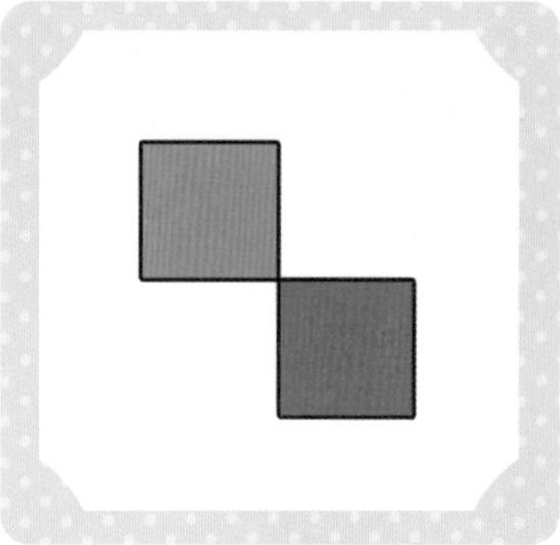

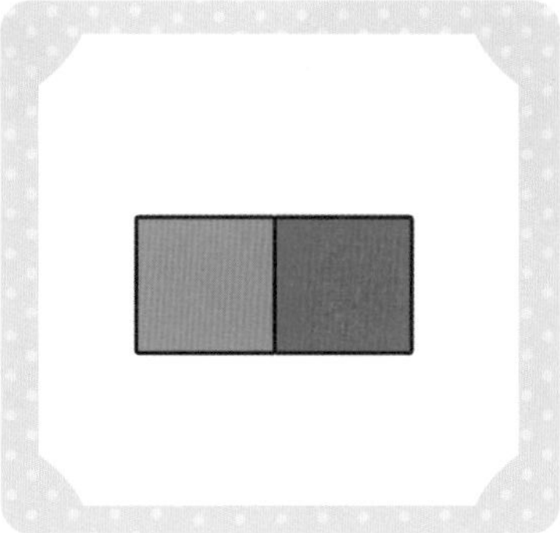

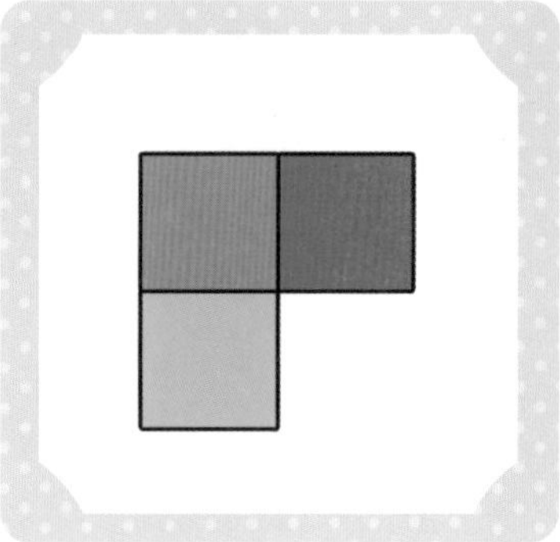

호기심 팡팡 내 모습을 위에서 보면 어떤 모양일까?

2주 4일 사진

누구냐, 넌?

교통 신호를 지키지 않고 운전한 사람이 감시 카메라에 찍혔어요.
그런데 비가 많이 와서 사진에 가려진 부분이 생겼어요.
사진을 잘 보고 운전한 사람을 아래에서 찾아 ○ 해요.

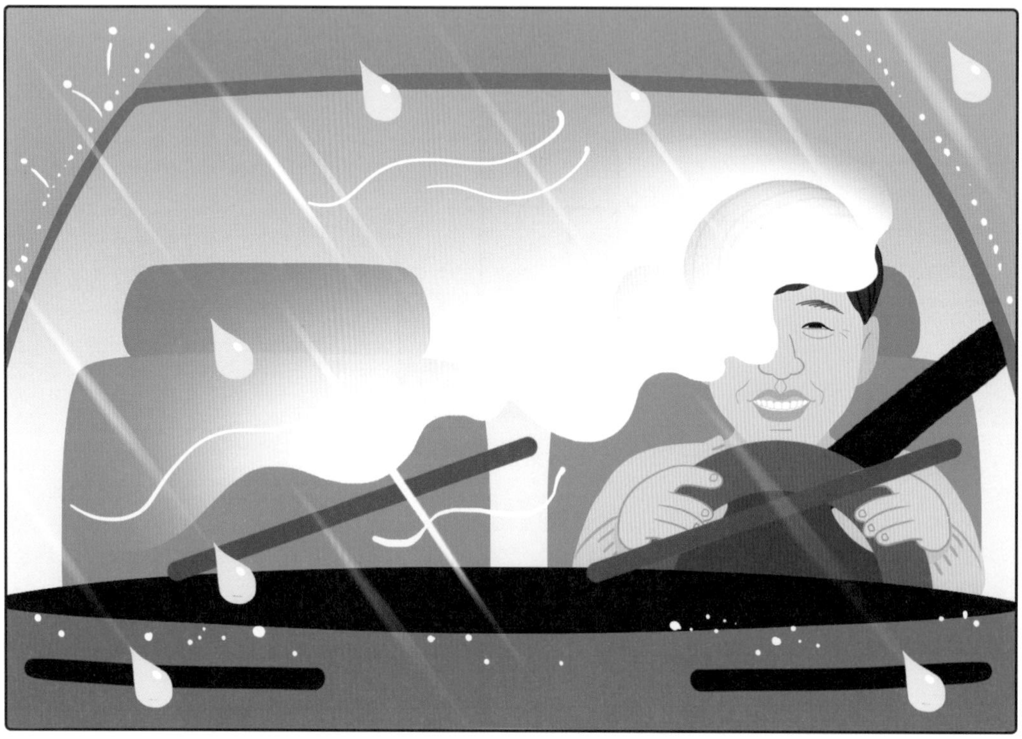

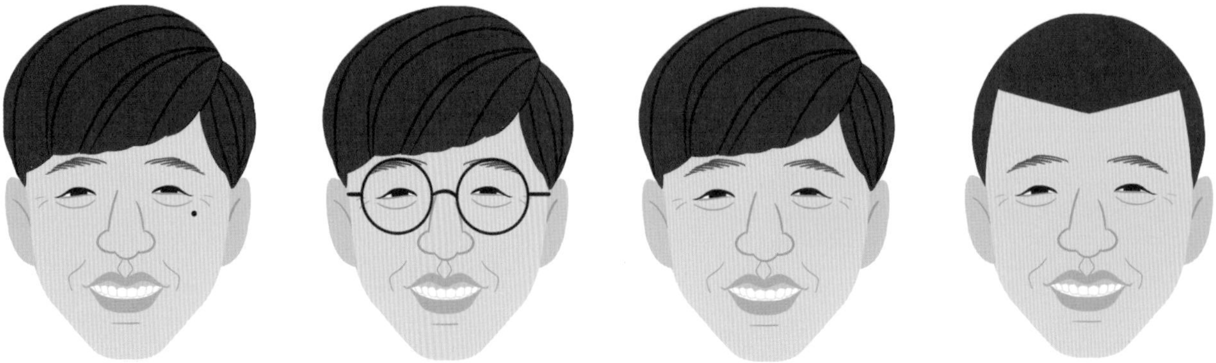

학부모 가이드 얼굴의 특징적인 부분을 비교해 보면서 비교 사고력을 기를 수 있어요.

우뇌
위치

어떻게 보일까?

배를 타고 섬 구경을 했어요.

아래 사진은 각 숫자가 있는 자리에서 찍은 사진이에요.

사진을 찍은 자리를 찾아 ☐ 안에 숫자를 써요.

호기심 팡팡 사진기로 무엇을 찍고 싶니?

사진 27

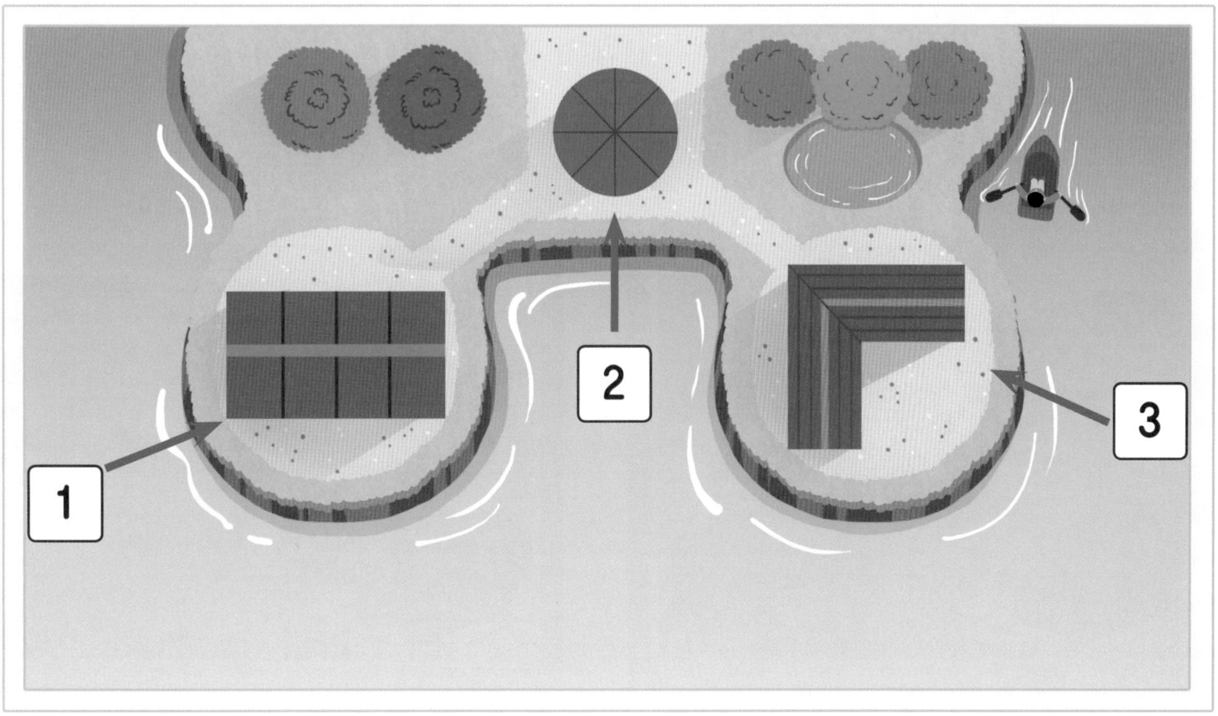

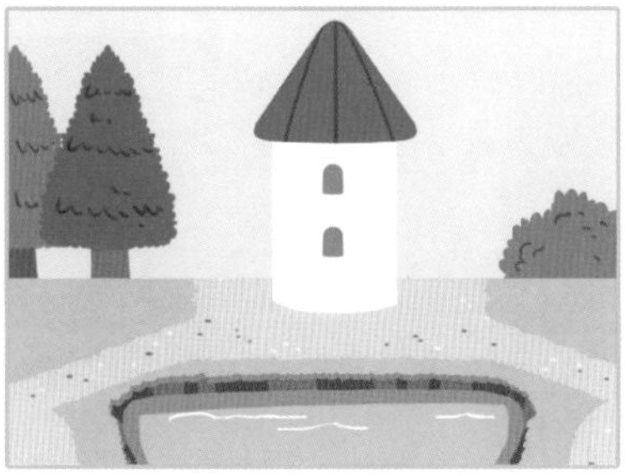

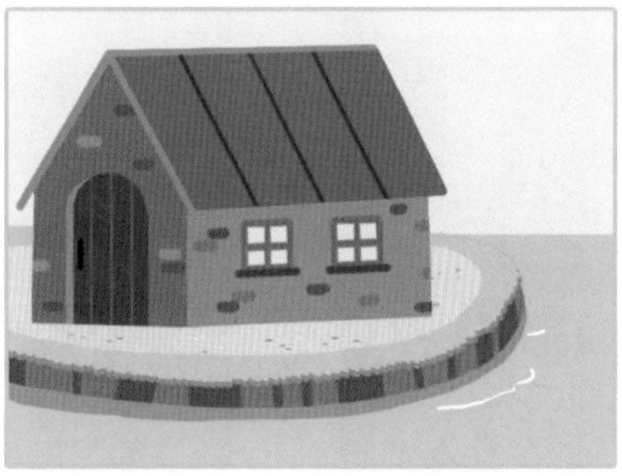

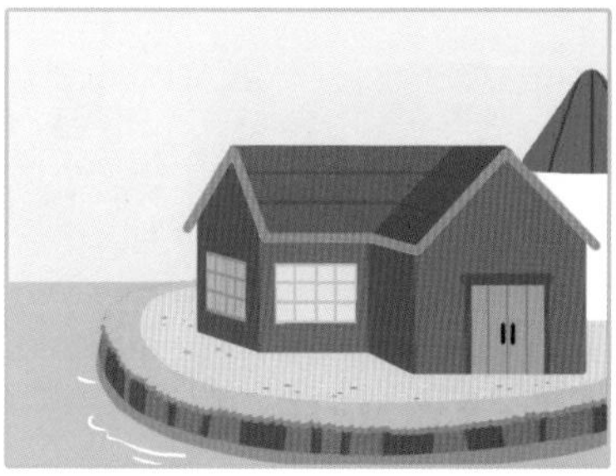

좌뇌

논리

그림을 찾아라!

다음 설명처럼 그려져 있는 그림이 있어요.
알맞은 그림을 아래에서 찾아 ◯ 해요.

> 4명의 사람이 있어요.
> 2마리의 말이 있어요.
> 6개의 사과가 있어요.

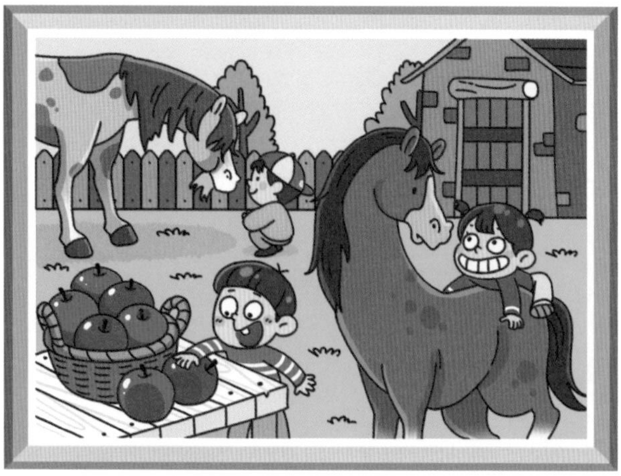
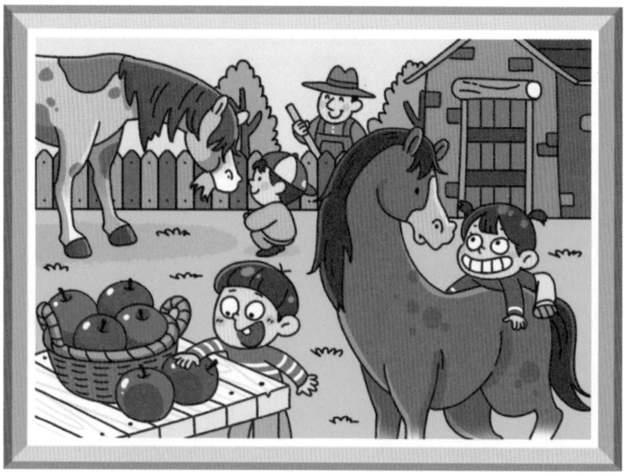

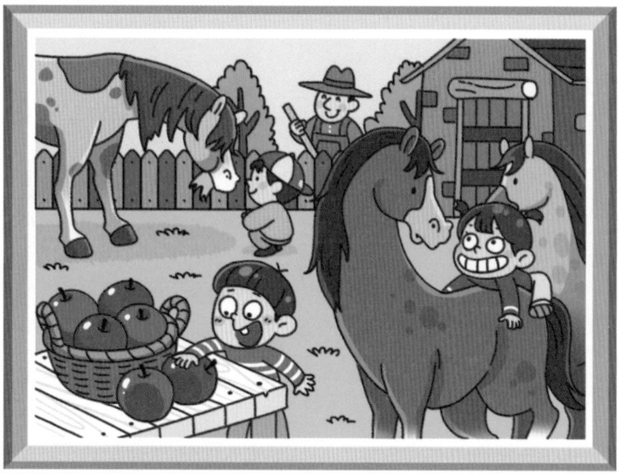
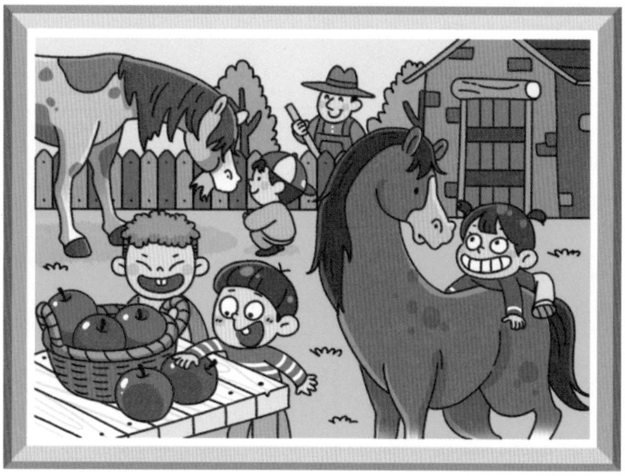

학부모 가이드 주어진 조건들이 그림에 있는지 찾아보면서 관찰 논리력을 기를 수 있어요.

나의 반쪽은?

다음과 같이 반쪽만 그려진 그림을 반으로 접었어요.
접은 종이를 펼쳤을 때 알맞게 그려진 그림을 아래에서 찾아 ○ 해요.

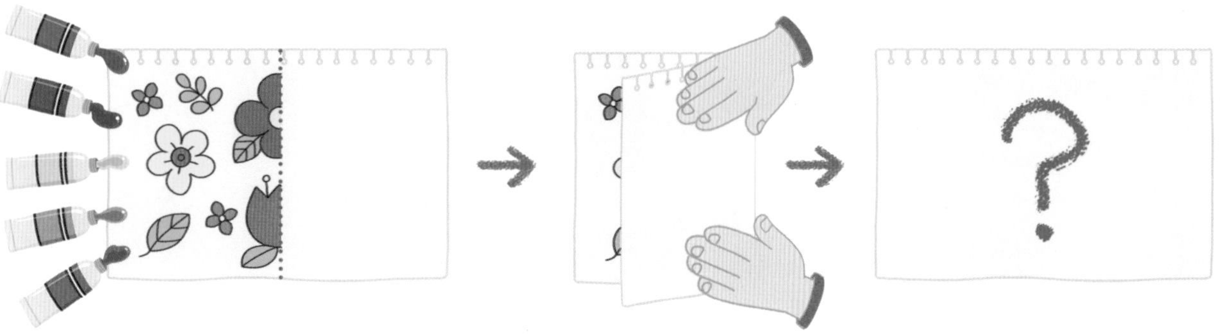

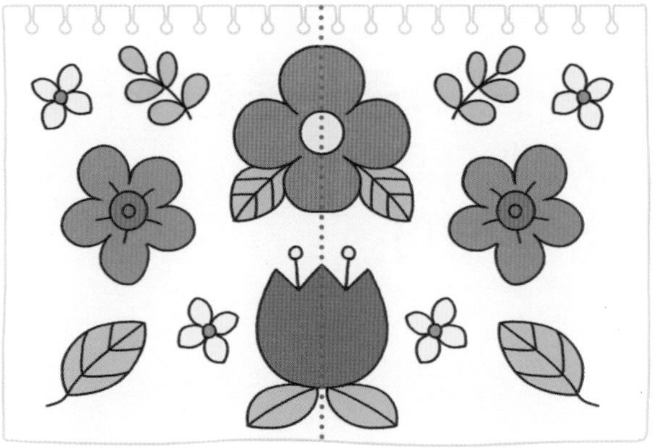

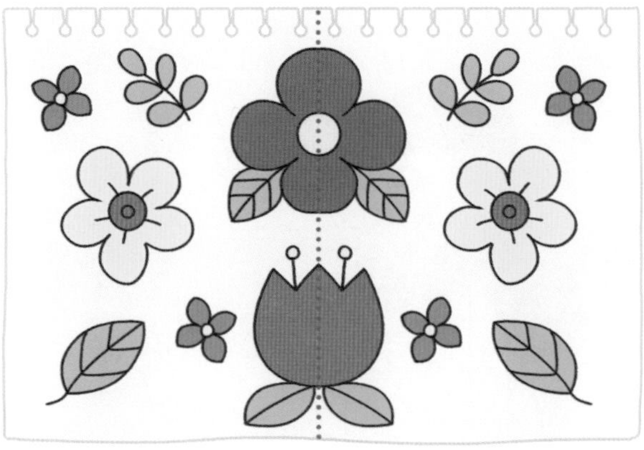

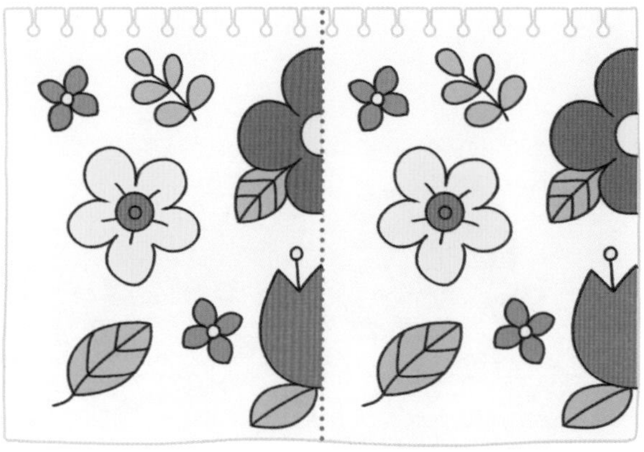

호기심 팡팡 손바닥에 물감을 칠한 후 도화지에 찍으면 어떤 모양이 나올까?

물건을 소중히 다루어요

모두 나에게
소중한 물건이야.

스케치북, 장난감, 연필은 모두 나에게 소중한 물건이야.
이 소중한 물건은 소중하게 다루어야
필요할 때 또 사용할 수 있어.

물건을 소중히 다루는 내 모습은 무엇일까?

3주

1일 우주
좌뇌 우뇌
상식 | 구별

2일 달
좌뇌 우뇌
논리 | 규칙

3일 그림자
좌뇌 우뇌
상식 | 모양

4일 바다
좌뇌 우뇌
비교 | 구별

5일 지구
좌뇌 우뇌
상식 | 구별

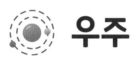

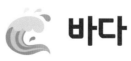

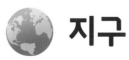

우주

좌뇌
상식

우주에는 지구만 있을까?

우주에는 우리가 사는 지구 이외에도 여러 행성이 있어요.

행성들은 저마다 이름을 가지고 있어요.

다음 설명을 읽고, 행성의 이름을 아래 보기에서 찾아 빈칸에 써요.

> • 수성은 태양 바로 옆에 있어요.
> • 금성은 지구와 수성 사이에 있어요.
> • 화성은 태양에서 가장 멀리 떨어져 있어요.

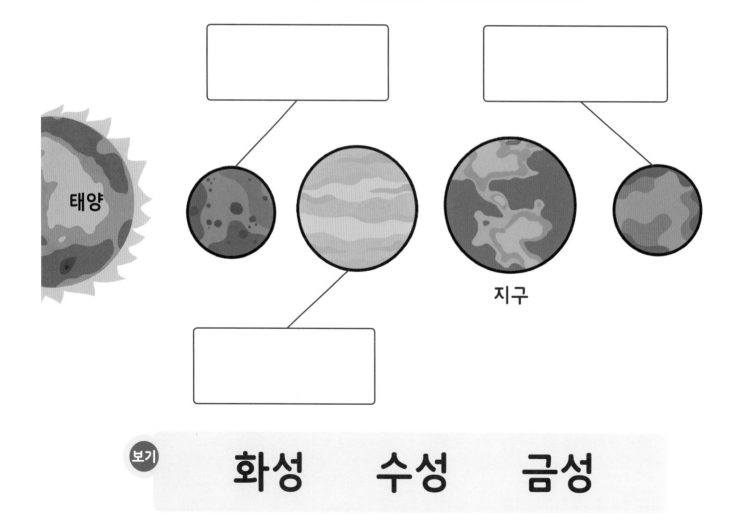

보기 화성   수성   금성

학부모 가이드 지구와 가까이 있는 행성의 이름을 알아봄으로써 과학 상식을 넓힐 수 있어요.

우뇌

구별

별자리를 보면 동물이 보여!

밤하늘에는 수많은 별이 떠 있어요.

별들이 모여 만들어진 별자리 중에는 동물과 닮은 모양이 있어요.

왼쪽 별자리 모양과 닮은 동물을 오른쪽에서 찾아 ◯ 해요.

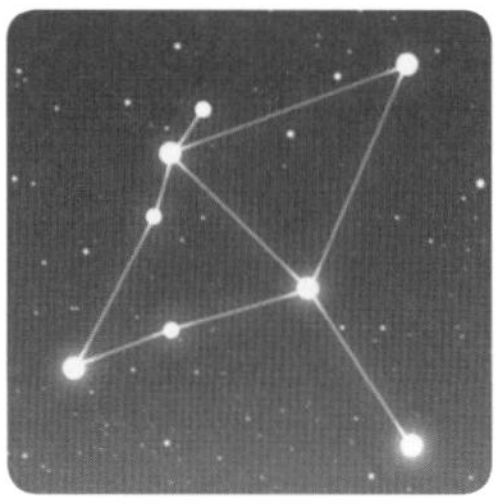

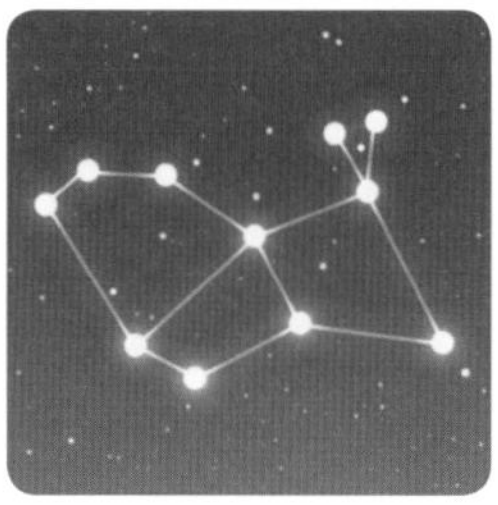

달

좌뇌
논리

달토끼는 어디로 갈까?

우리가 보는 달은 항상 같은 자리에 있지 않아요.

달은 시간이 지날수록 조금씩 자리를 옮겨요.

다음 그림에서 달이 움직이는 방향을 그린 선을 아래에서 찾아 ○ 해요.

밤 12시

저녁 9시

저녁 7시

동   남   서

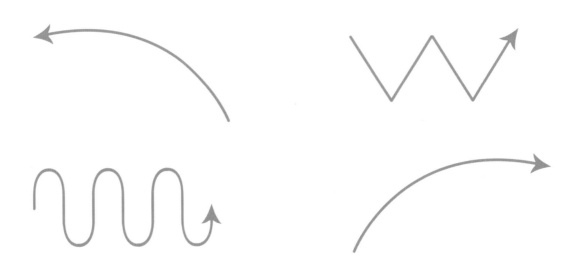

학부모 가이드   달이 이동하는 방향을 알아봄으로써 과학적 논리력을 기를 수 있어요.

우뇌
규칙

달 달, 무슨 달?

달은 마술을 부리듯이 모양이 바뀌어요.
눈썹처럼 가늘어졌다가 반달이 되고,
점점 커지다가 둥근 보름달이 되면 다시 가늘어져요.

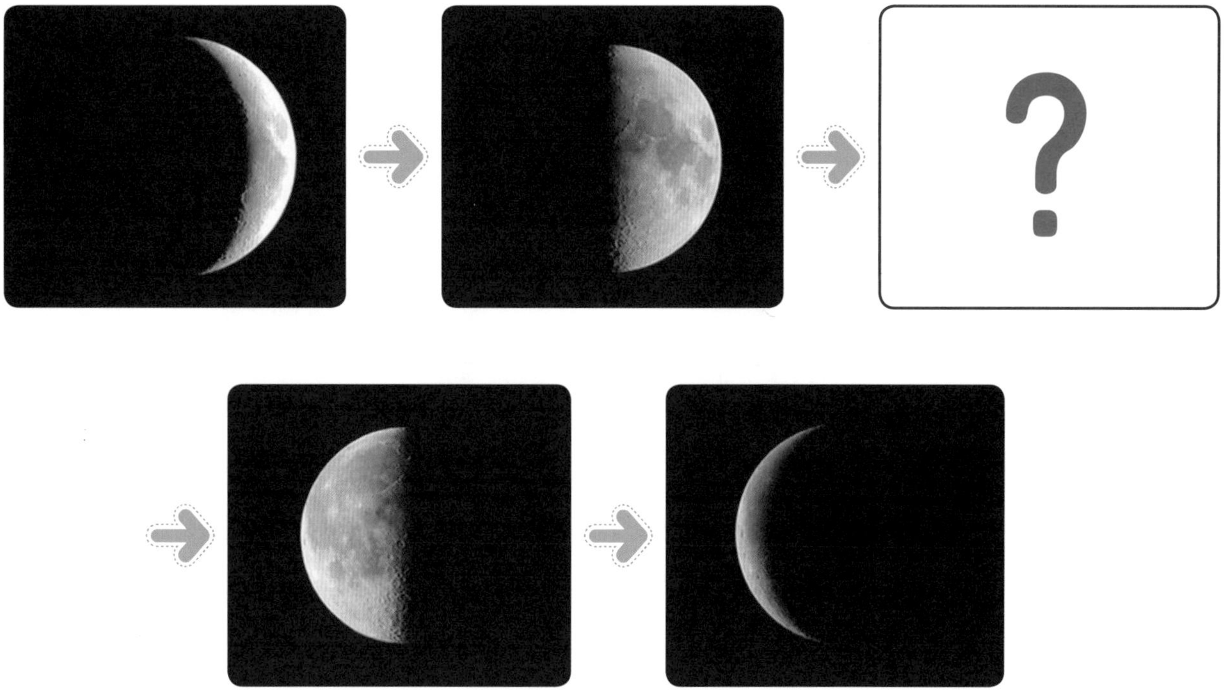

위 ? 에 들어갈 알맞은 달의 모습을 찾아 ◯ 해요.

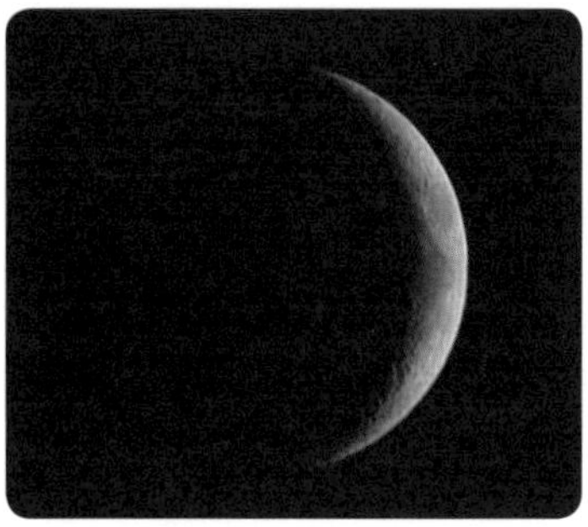

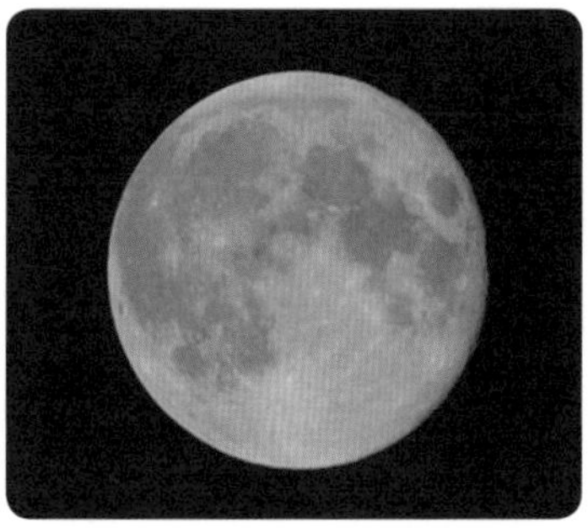

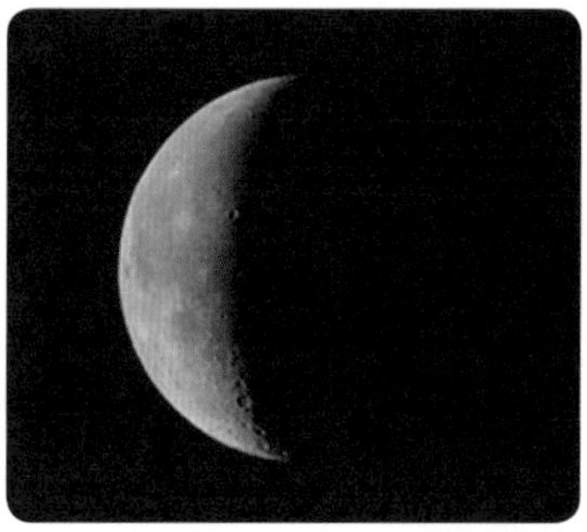

호기심 팡팡 지구처럼 달에도 사람이 살고 있을까?

3일 그림자

해를 찾아 줘!

해와 그림자는 정말 친한 친구예요.

해가 있는 곳에는 언제나 그림자가 있답니다.

아래 힌트를 읽고, 해가 떠 있는 자리를 찾아 ◯ 해요.

> 힌트 해는 그림자와 반대 방향에 있어요.

학부모 가이드 그림자의 위치를 보고 해가 떠 있는 자리를 파악해 봄으로써 생활 상식을 넓힐 수 있어요.

어디가 다를까?

코끼리와 과일이 그려진 그림이 있어요.

아래 4개의 그림자는 이 그림과 한 부분씩 달라요.

4개의 그림자에서 다른 부분을 찾아 ◯ 해요.

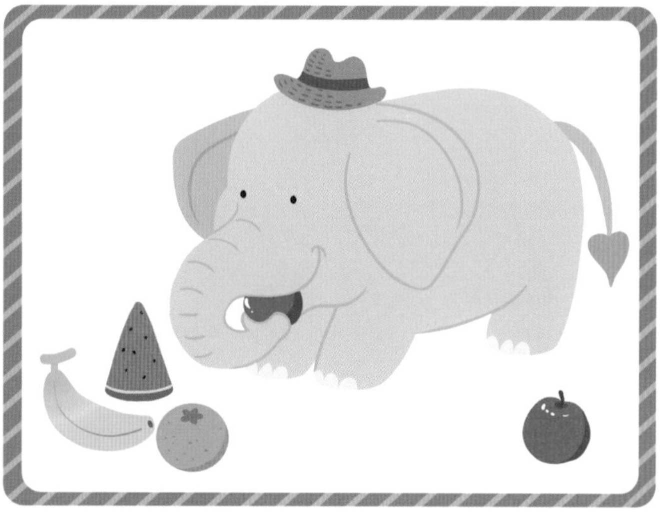

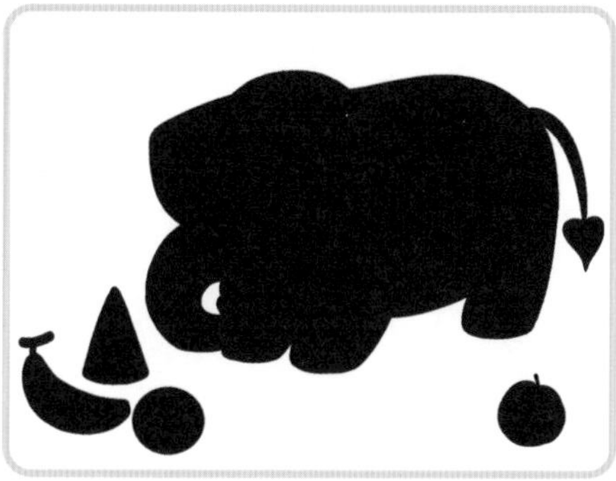

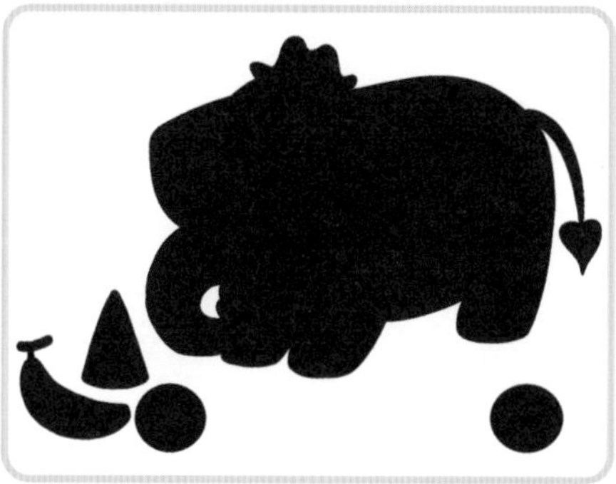

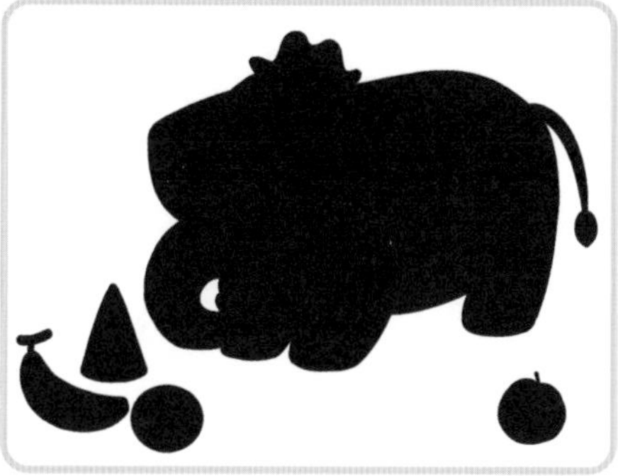

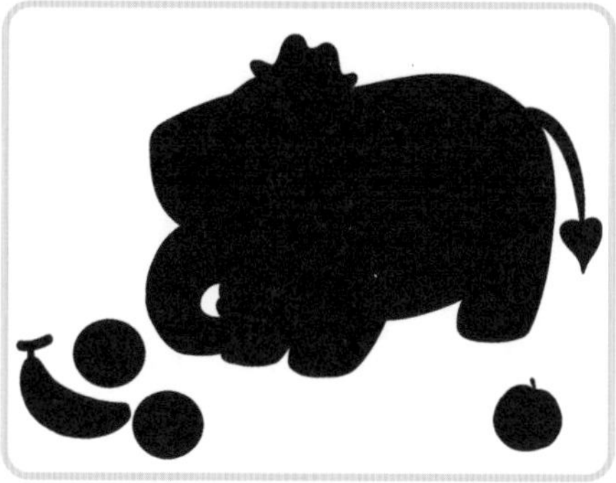

호기심 팡팡 내 그림자는 어떻게 생겼을까?

바다

누가 더 넓을까?

우리가 사는 지구에서 땅과 바다 중 어느 것이 더 넓을까요?
힌트를 읽고, 아래 세계 지도에서 ○와 △를 세어 보아요.
그 다음, 땅과 바다 중 더 넓은 것은 무엇인지 써요.

힌트 ○가 많으면 바다가 더 넓고, △가 많으면 땅이 더 넓어요.

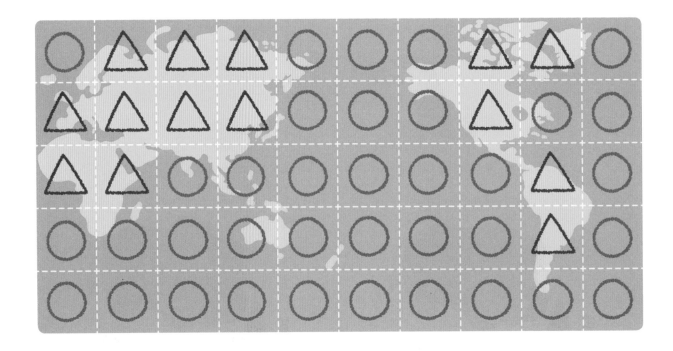

○는 [ ] 개, △는 [ ] 개이므로

땅과 바다 중 더 넓은 것은 [ ] 이다.

학부모 가이드 지구에서 땅과 바다가 차지하고 있는 부분을 비교해 봄으로써 과학 상식을 넓힐 수 있어요.

우뇌

구별

넌 왜 여기에 있니?

바닷속에서 동물들의 축제가 열렸어요.

그런데 바닷속에 살지 않는 동물들도 왔어요.

바닷속에 살지 않는 동물을 모두 찾아 ◯ 해요.

호기심 팡팡 바닷속에는 어떤 동물들이 살고 있을까?

떠나자, 세계 여행!

우리나라에는 세계적으로 유명한 건물이 있어요.

세계 여러 나라에도 유명한 건물이 있답니다.

왼쪽 나라에 있는 유명한 건물을 오른쪽에서 찾아 선으로 이어요.

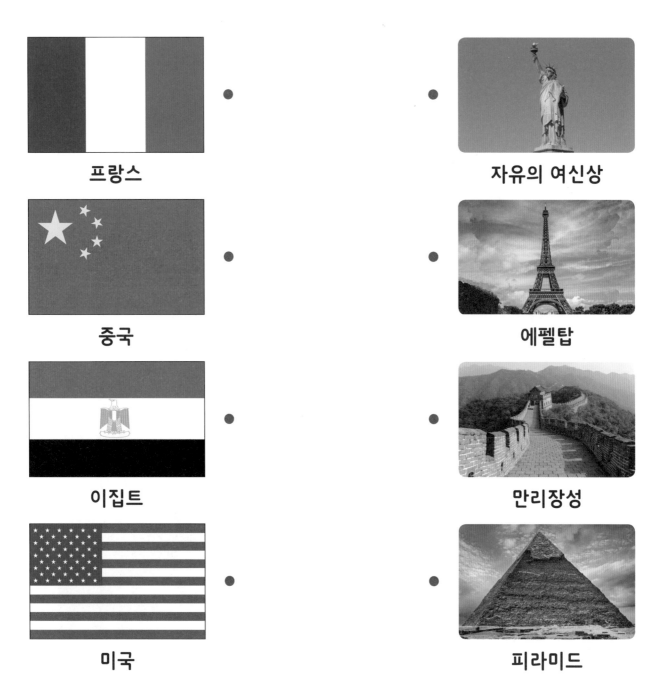

프랑스

중국

이집트

미국

자유의 여신상

에펠탑

만리장성

피라미드

학부모 가이드) 전 세계적으로 유명한 문화유산을 살펴봄으로써 기초 상식을 넓힐 수 있어요.

땅덩어리를 찾아라!

지구에는 6개의 큰 땅덩어리가 있어요.

땅덩어리들은 저마다 이름을 가지고 있어요.

다음 사자가 설명하는 땅덩어리의 이름을 아래 지도에서 찾아 써요.

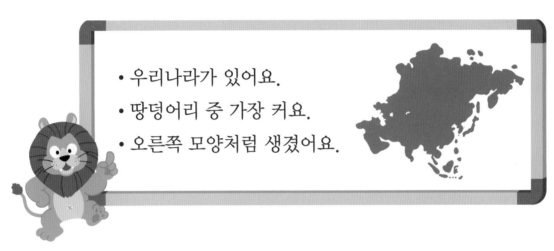

- 우리나라가 있어요.
- 땅덩어리 중 가장 커요.
- 오른쪽 모양처럼 생겼어요.

유럽

아시아

북아메리카

아프리카

오세아니아

남아메리카

호기심 팡팡 내가 여행하고 싶은 나라는 어떤 땅덩어리에 있을까?

지구를 사랑해요

망가지지 않은 장난감을 버리고, 새로운 장난감을 사고,
또 버리고 사고, 쌓이고 쌓이는 쓰레기들로 지구는 아파.

내가 지구를 아끼고 사랑해 줄 수 있는
방법은 무엇일까?

4주

1일	 국기	좌뇌 우뇌 상식 | 구별
2일	재료	좌뇌 우뇌 논리 | 기억
3일	집	좌뇌 우뇌 논리 | 모양
4일	생활 도구	좌뇌 우뇌 상식 | 모양
5일	음식	좌뇌 우뇌 상식 | 구별

좌뇌
상식

나라를 대표하는 얼굴은?

국기는 그 나라를 대표하는 깃발이에요.

다음 수수께끼를 풀어 각 나라의 국기를 찾아 번호를 써요.

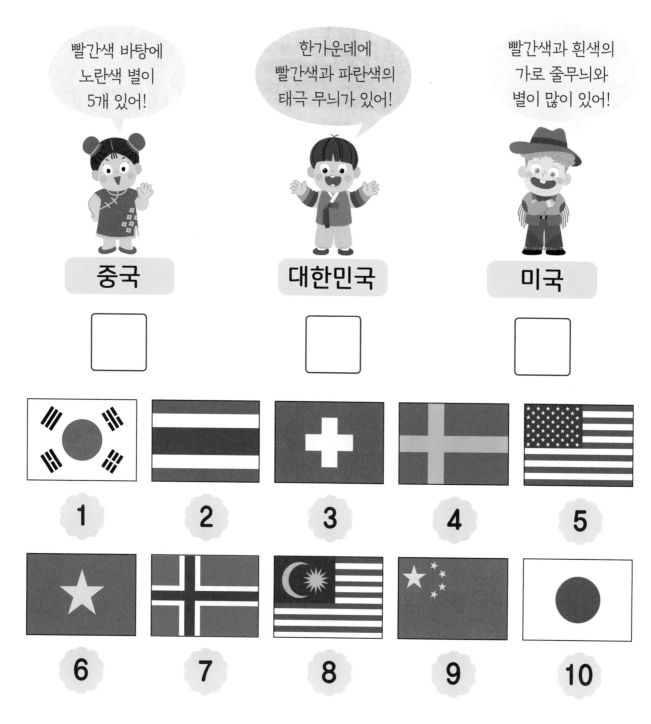

빨간색 바탕에
노란색 별이
5개 있어!

한가운데에
빨간색과 파란색의
태극 무늬가 있어!

빨간색과 흰색의
가로 줄무늬와
별이 많이 있어!

중국

대한민국

미국

1

2

3

4

5

6

7

8

9

10

학부모 가이드) 각 나라의 국기를 구별하는 활동을 통해 관찰력과 분석력을 기를 수 있어요.

우뇌

구별

무엇이 같을까?

여러 나라의 국기 중에는 모양이나 색깔이 같아 헷갈리는 것들이 많아요.
다음 중 같은 색으로 이루어진 국기를 찾아 선으로 이어요.

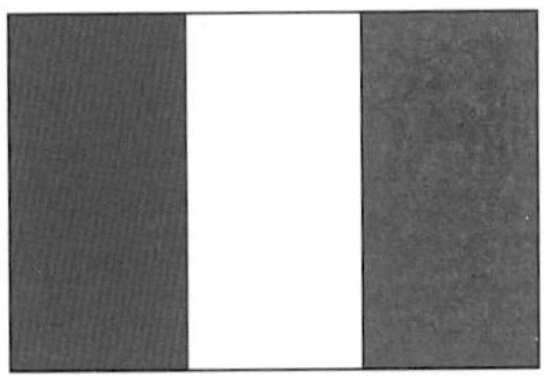

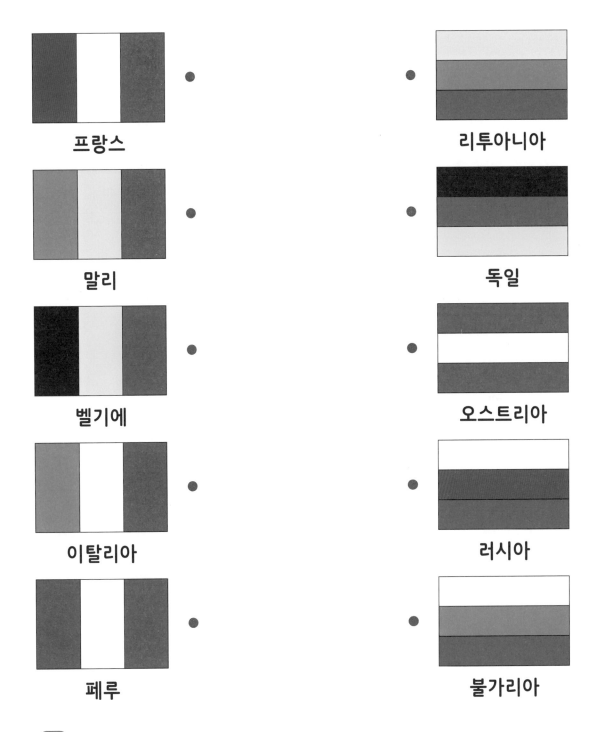

프랑스

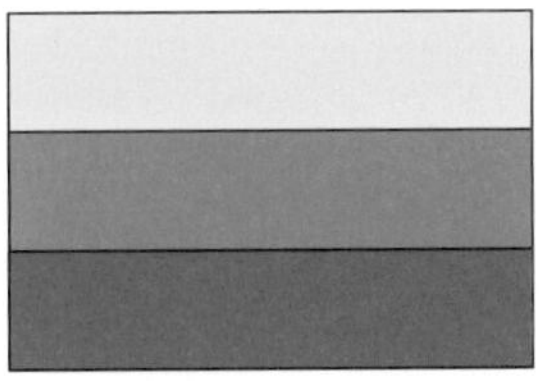

리투아니아

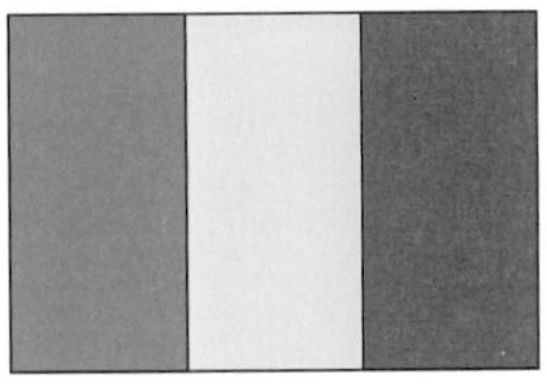

말리

독일

벨기에

오스트리아

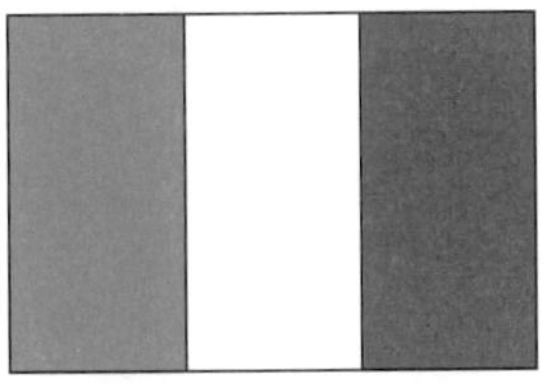

이탈리아

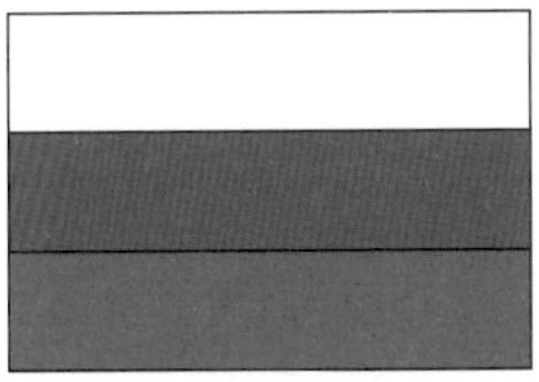

러시아

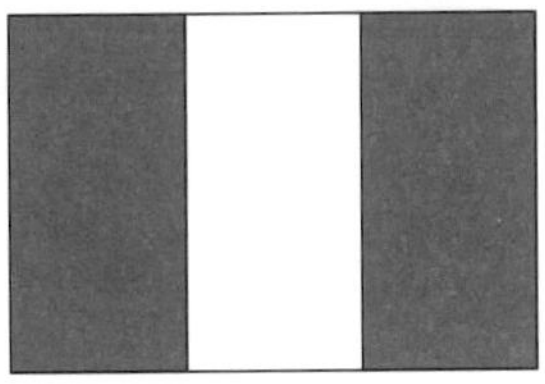

페루

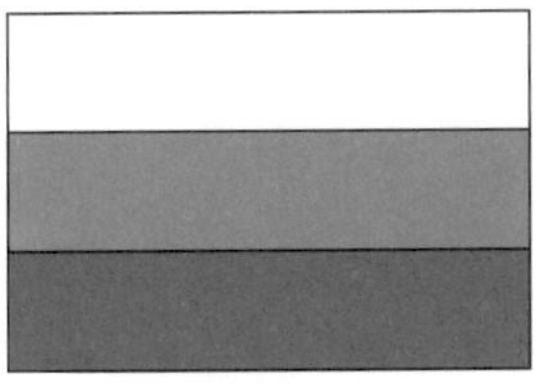

불가리아

호기심 팡팡 우리나라 국기의 이름은 무엇일까?

2일 재료

좌뇌 / 논리 맛있는 음식을 만들어 볼까?

우리가 먹는 음식에는 여러 가지 재료들이 들어가요.

세 사람에게서 얻은 재료가 모두 들어 있는 음식에 ◯ 해요.

햄버거

통닭

비빔밥

학부모 가이드 주어진 재료가 모두 들어 있는 음식을 찾는 활동을 통해 논리적 사고력을 기를 수 있어요.

우뇌

기억

어떤 재료로 만들었을까?

우리 주변에는 모양은 다르지만 같은 재료로 만들어진 물건들이 많아요.
다음에서 같은 재료로 만든 물건끼리 선으로 이어요.

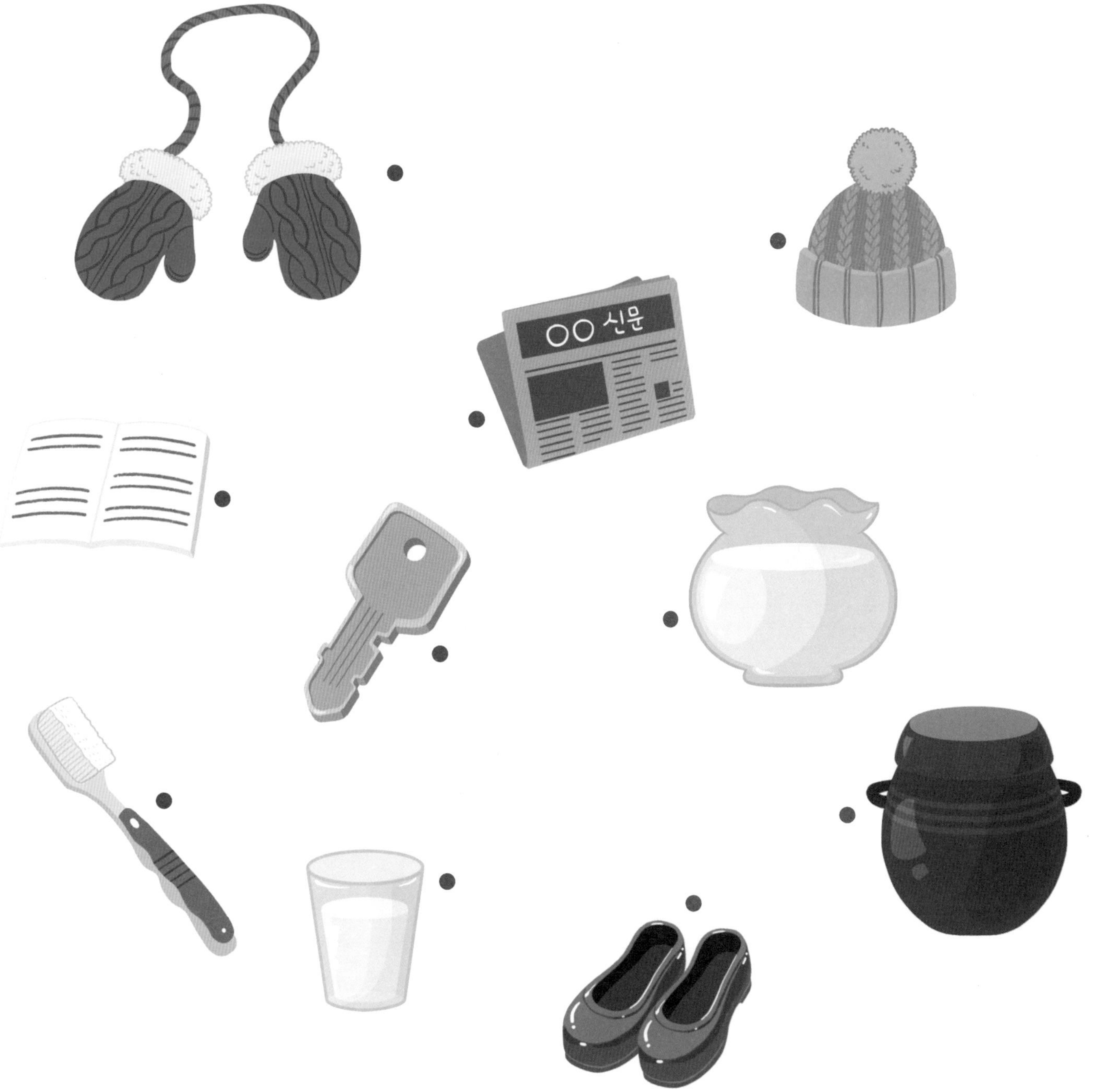

호기심 팡팡 같은 재료로 만들어진 물건은 색깔도 같을까?

나는 몇 호에 살까?

여러 동물들이 같은 건물에 살고 있어요.
호랑이와 고양이가 사는 집의 호수를 보고,
기린과 사자의 집을 찾아 빈칸에 알맞은 숫자를 써요.

기린의 집은 [ ]호, 사자의 집은 [ ]호예요.

학부모 가이드 규칙적으로 정해진 집의 호수를 찾는 활동을 통해 논리적 사고력을 기를 수 있어요.

어떤 집을 만들 수 있을까?

세계 각 지역의 사람들은 더위나 추위를 피하기 위해
다양한 재료로 여러 가지 모양의 집을 짓고 살아요.
왼쪽의 물건들로 만들 수 있는 집을 오른쪽에서 찾아 선으로 이어요.

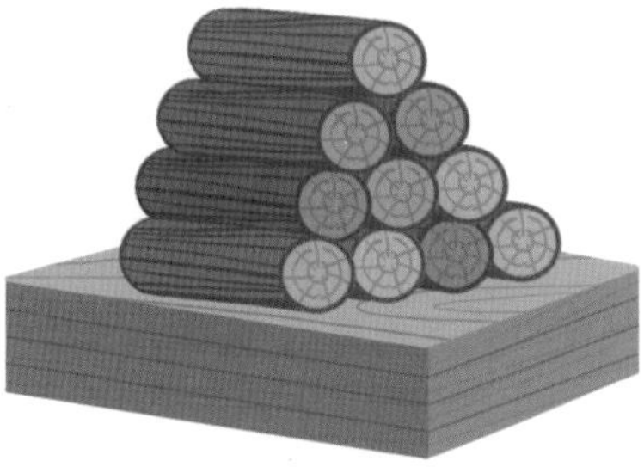

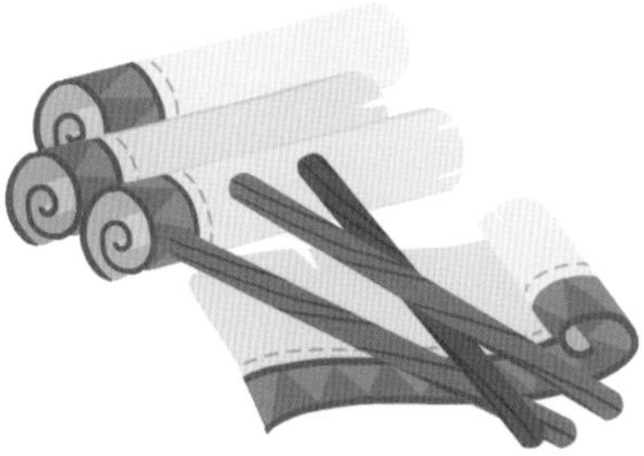

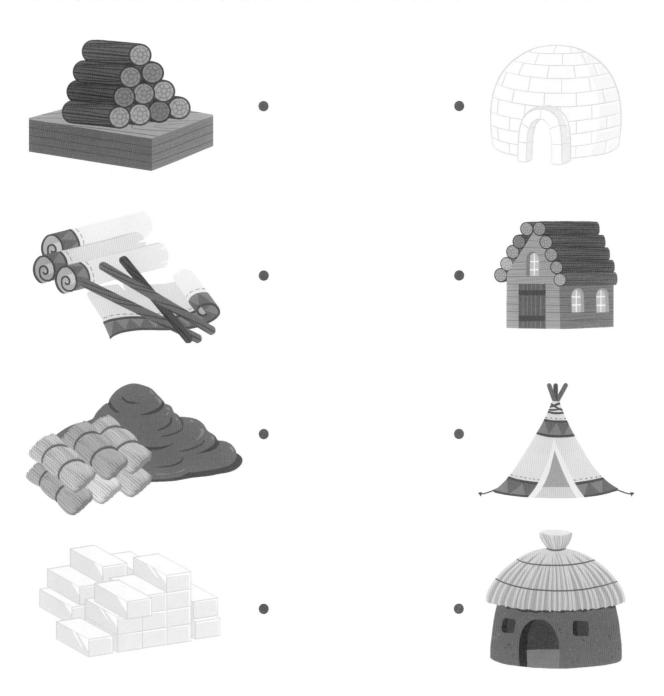

호기심 팡팡 너희 집은 어떤 물건들로 만들었니?

생활 도구

좌뇌
상식

어디에 쓰는 물건일까?

우리 주변에는 쓰임이 같은 물건들이 있어요.
왼쪽의 물건과 쓰임이 같은 물건을 오른쪽에서 찾아 ◯ 해요.

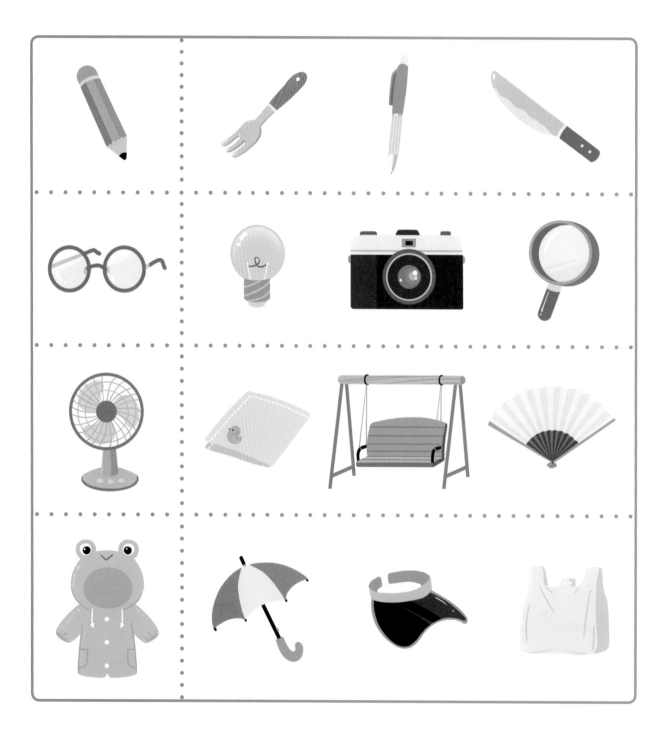

학부모 가이드 쓰임새가 같은 물건을 찾는 활동을 통해 관찰력과 분석력을 기를 수 있어요.

모양이 같은 부분을 찾아봐!

정돈이는 같은 모양을 그릴 수 있는 물건끼리 모았어요.
주어진 물건으로 그릴 수 있는 모양을 찾아 색칠해요.

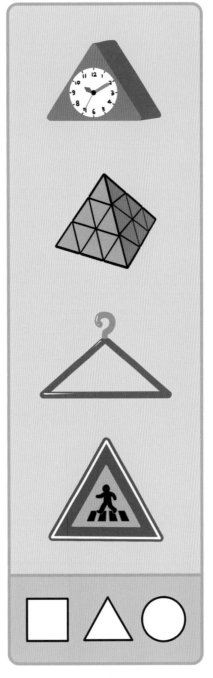

호기심 팡팡 동그라미 모양을 그릴 수 있는 다른 물건을 찾아볼래?

 5일 음식

 좌뇌 / 상식

동물 친구들아, 고마워!

우리가 먹는 음식 중에는 동물의 알이나 살로 만든 것들이 있어요.
왼쪽 음식을 만드는 데 도움을 주는 동물을 오른쪽에서 찾아 선으로 이어요.

학부모 가이드 우리가 자주 먹는 음식과 동물을 연관지어 보면서 기초 상식을 넓힐 수 있어요.

마법 냄비만 있으면 나도 요리사!

재료만 넣으면 맛있는 음식을 만들어 주는 마법 냄비가 있어요.

주어진 재료를 마법 냄비에 넣었을 때 만들어지는 음식을 찾아 ◯ 해요.

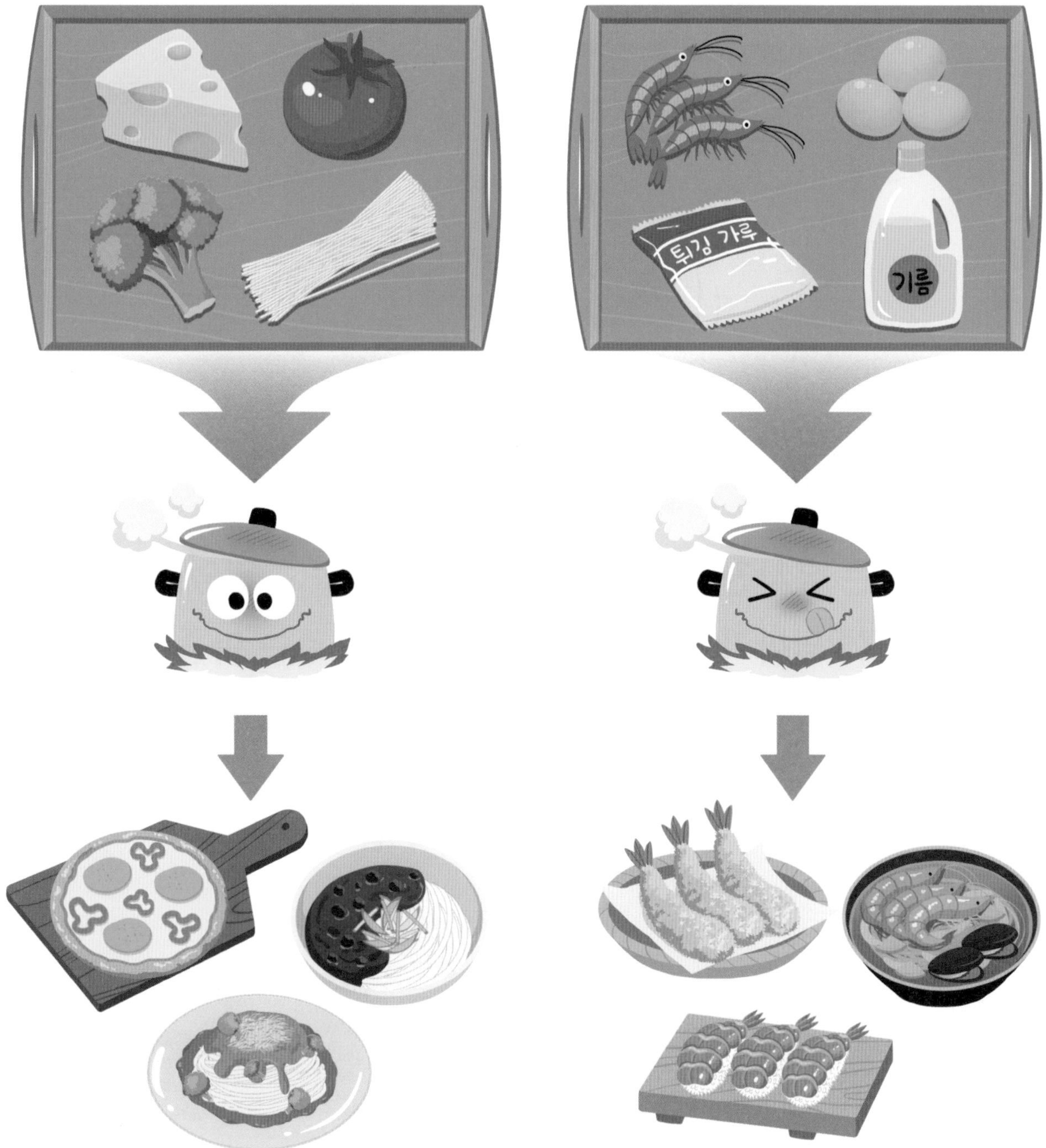

호기심 팡팡 내가 좋아하는 음식을 만들려면 어떤 재료를 넣어야 할까?

모르는 사람을 따라가지 않아요

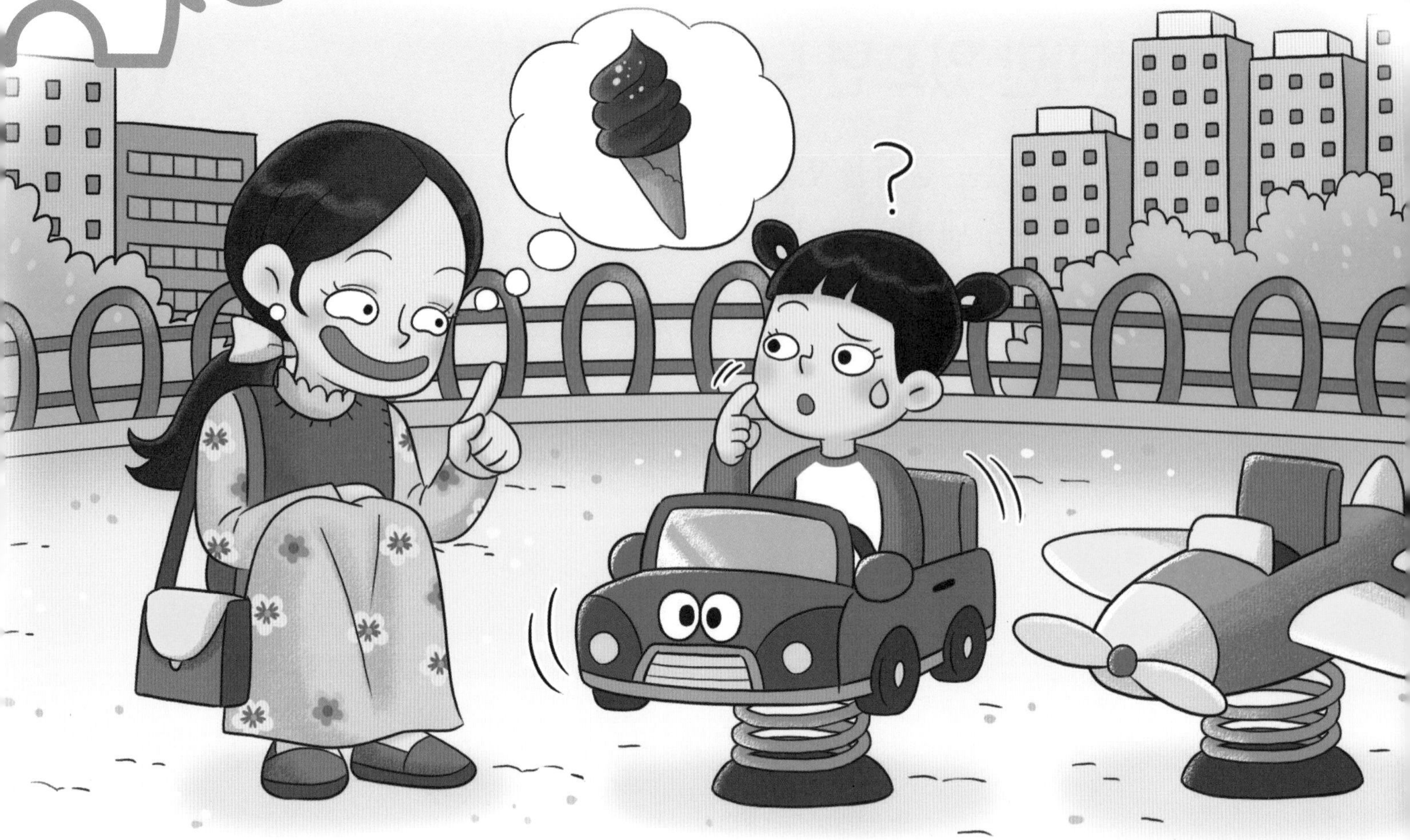

나는 유치원이 끝난 후 놀이터에서 놀고 있었어.
그런데 엄마가 잠깐 집에 간 사이에 모르는 아줌마가
다가와서 아이스크림을 사 준다고 했어.

나는 어떻게 행동해야 할까?

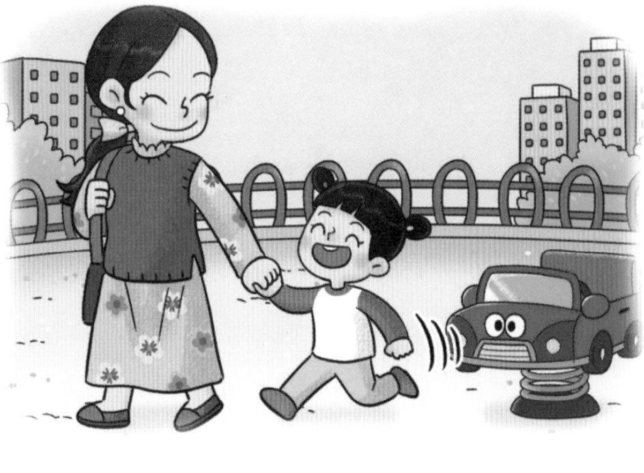

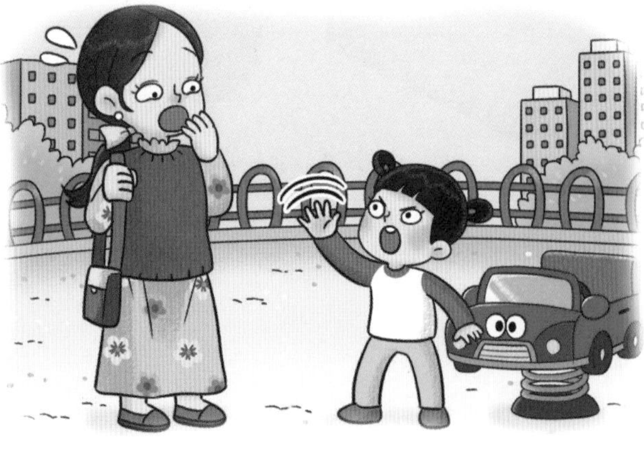

5주

시간

누가 버스에 타고 내렸을까?

동물들이 집에 가기 위해 버스에 탔어요.

그림에서 5분 후에 버스에서 내린 동물은 ✕,

자리를 바꾼 동물은 △, 버스에 새로 탄 동물은 ◯ 해요.

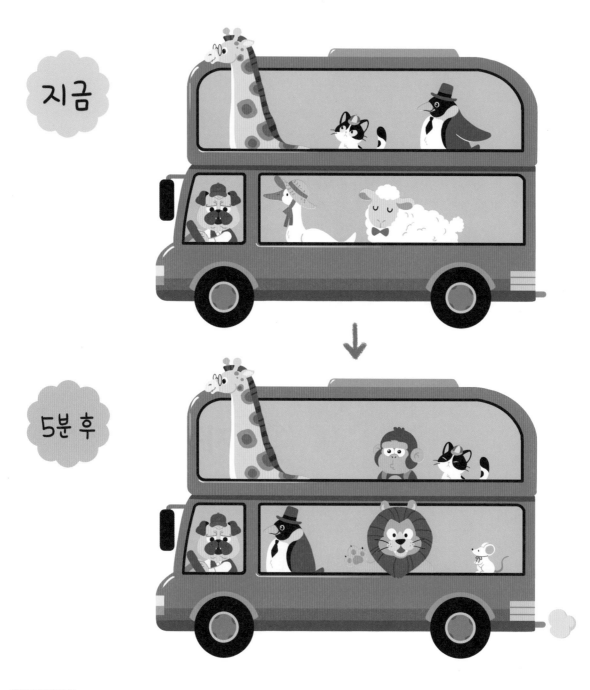

지금

5분 후

학부모 가이드 시간의 흐름에 따라 어떤 변화가 있었는지 생각해 보면서 논리적 사고력을 기를 수 있어요.

찰스네 집은 낮일까? 밤일까?

지구에서 태양이 비추는 곳은 낮이에요.
태양이 비추지 않는 곳은 밤이고요.
찰스네 집은 지금 낮인지, 밤인지 골라 ⃝ 해요.

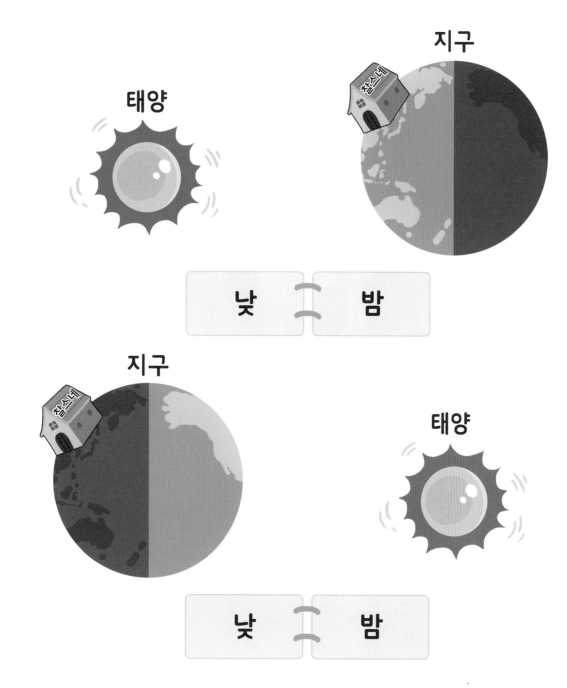

호기심 팡팡 낮이 좋아, 밤이 좋아?

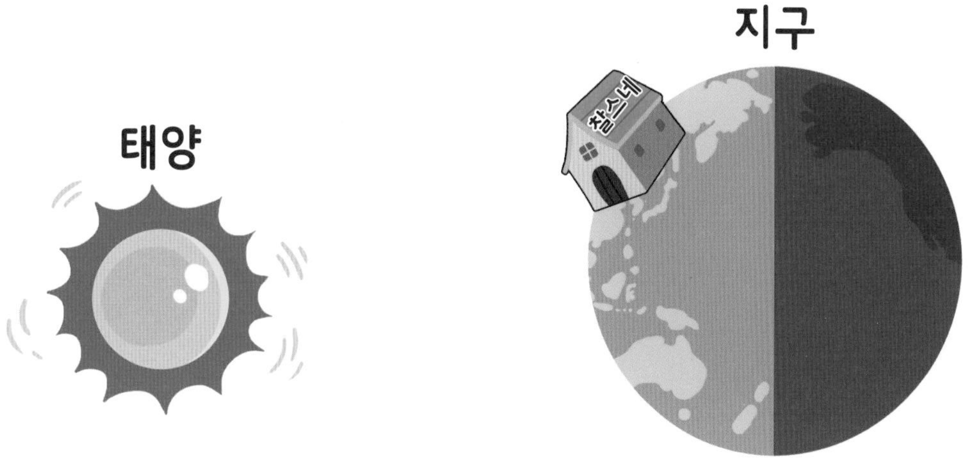

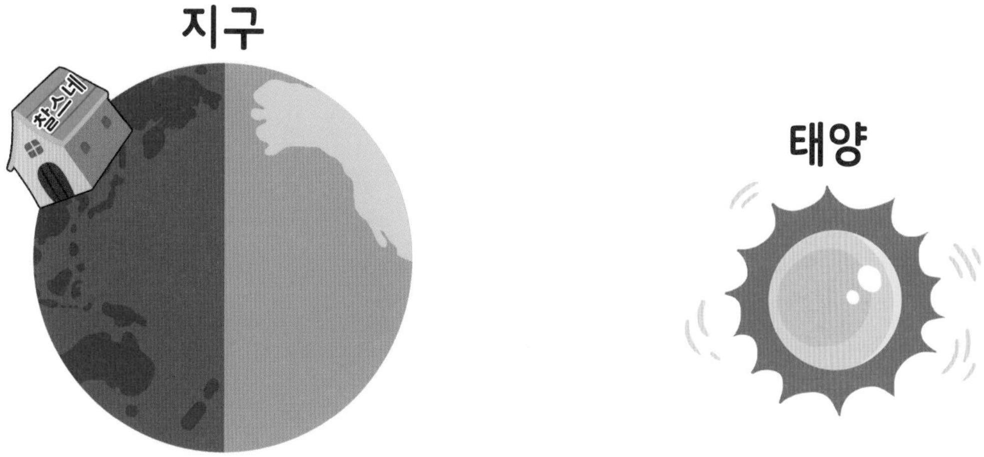

2일 태풍

태풍이 오면 안전한 집은?

아기 돼지 삼형제가 각각 다른 재료로 집을 지었어요. 그런데, 강한 바람이 휘몰아치는 태풍이 오고 있어요. 태풍이 오면 어떤 재료로 만든 집이 가장 안전한지 1부터 3까지 가장 안전한 순서대로 숫자를 써요.

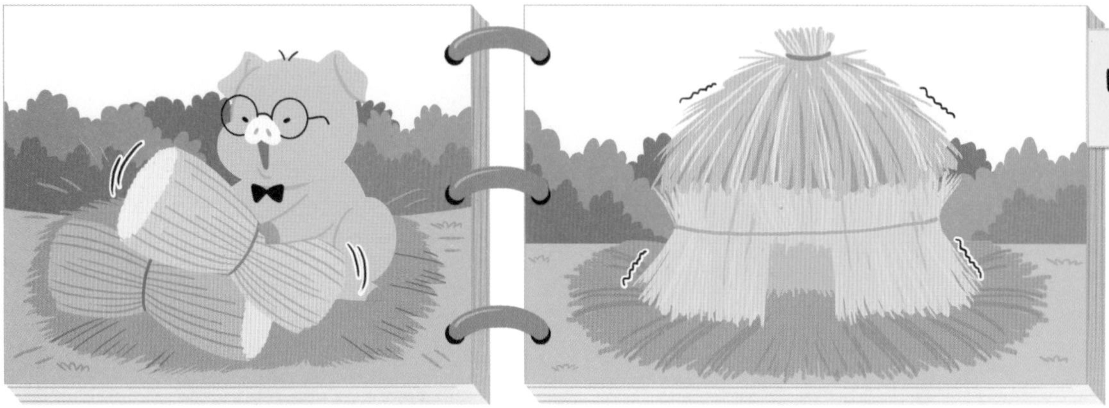

벗짚

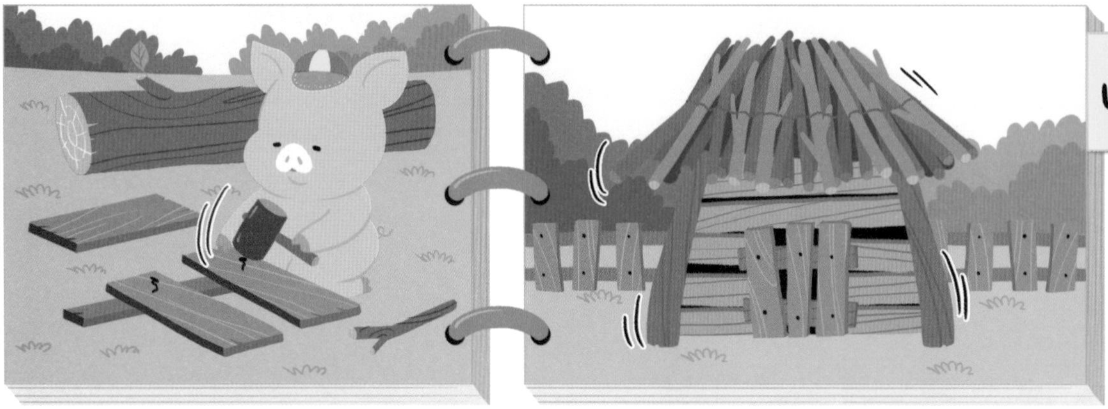

나무

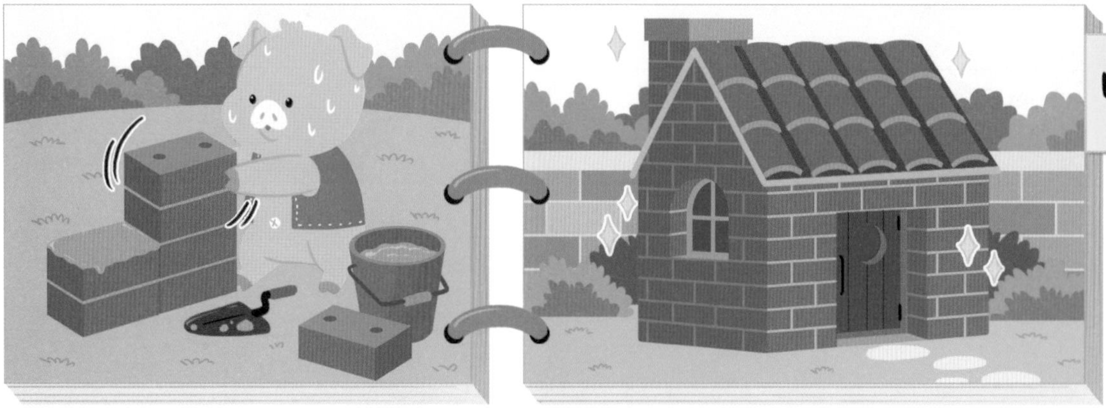

벽돌

학부모 가이드 어떤 재료로 만든 집이 태풍에 안전한 집인지 판단해 보면서 비교 사고력을 기를 수 있어요.

더 센 바람이 부는 곳은?

'우웅' 태풍이 이동하고 있어요. 이 주변에는 '휘잉' 바람이 불고 있고요.
다음 **힌트**를 잘 읽고, '우웅' 태풍 그림의 화살표(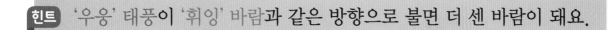) 중 더 센 바람이 되는
화살표를 골라 ◯ 해요.

> **힌트** '우웅' 태풍이 '휘잉' 바람과 같은 방향으로 불면 더 센 바람이 돼요.

호기심 팡팡 내가 사는 곳에 태풍이 오면 어떻게 해야 할까?

지진

지진이 일어났어!

강한 지진일수록 위험해서 지진 피해가 커요.
그림에서 지진 피해가 가장 큰 곳은 9를 쓰고,
중간인 곳은 5를 쓰고, 가장 작은 곳은 1을 써요.

학부모 가이드 지진 피해 정도를 비교하여 수치로 나타내면서 수리 사고력을 기를 수 있어요.

지진에 대비해!

지진이 일어나면 튼튼하지 않은 건물은 무너질 수 있어요.
지진이 일어나도 끄떡없는 튼튼한 건물을 만들기 위해 [ ] 부분에 넣을
알맞은 모양을 찾아 ○ 해요.

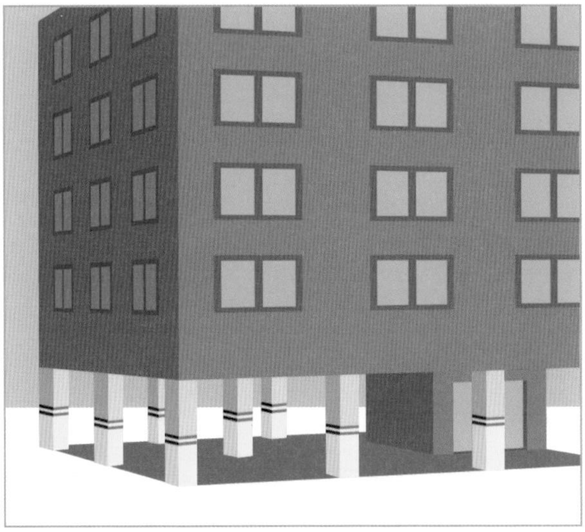

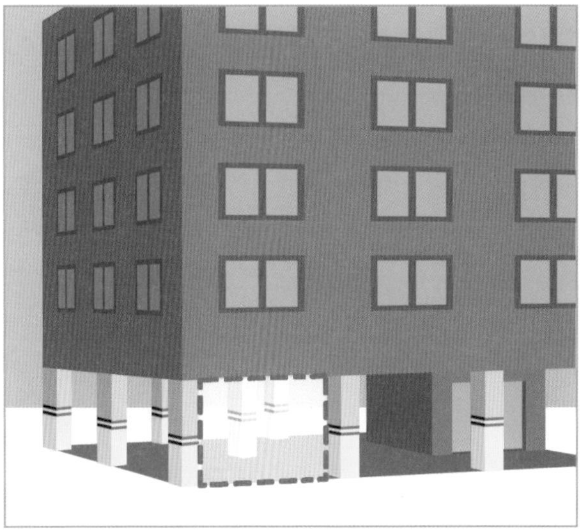

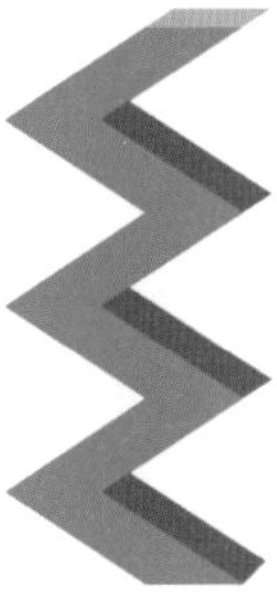

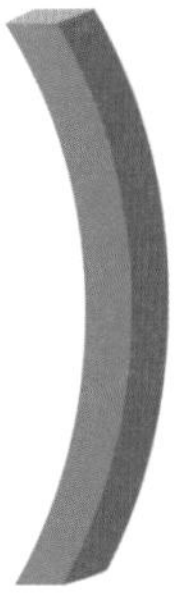

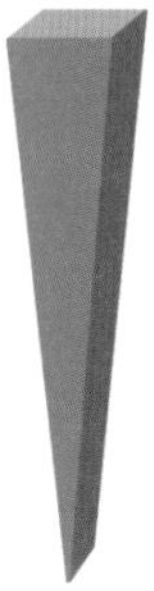

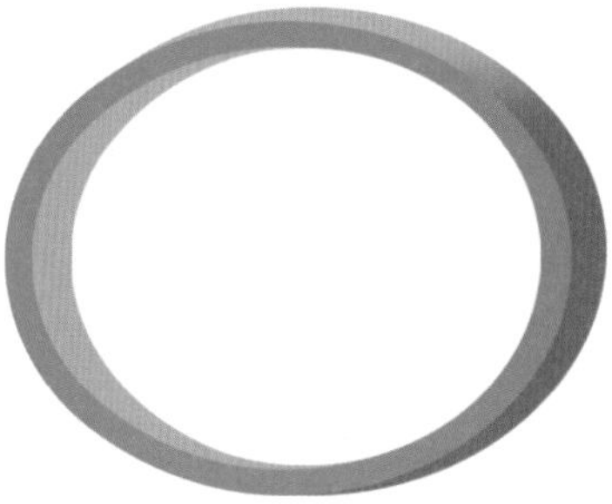

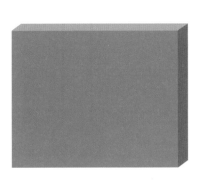

호기심 팡팡 우리나라에서도 지진이 일어날까?

좌뇌
비교

어느 나라에서 왔을까?

다른 나라에 사는 이코모 남매가 대한민국에 놀러 왔어요.

이코모 남매는 추운 나라에서 살고 있어요.

이코모 남매가 살고 있는 나라의 이름을 찾아 ○ 해요.

힌트 온도계의 눈금이 위에 있을수록 덥고, 아래에 있을수록 추워요.

이코모   이코모 동생

알래스카

이집트   베트남

영상 40℃   영상 20℃   영하 20℃

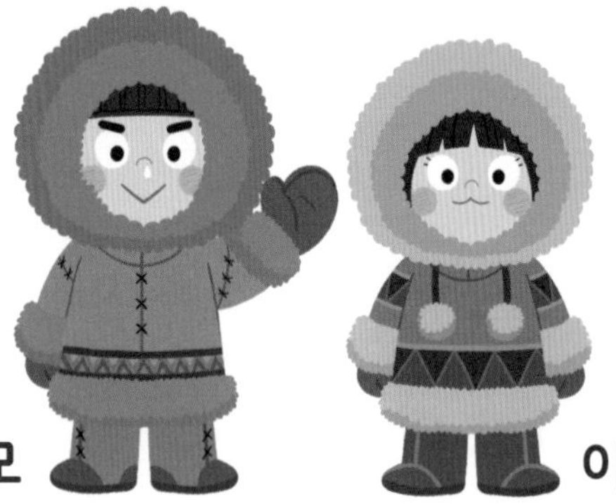

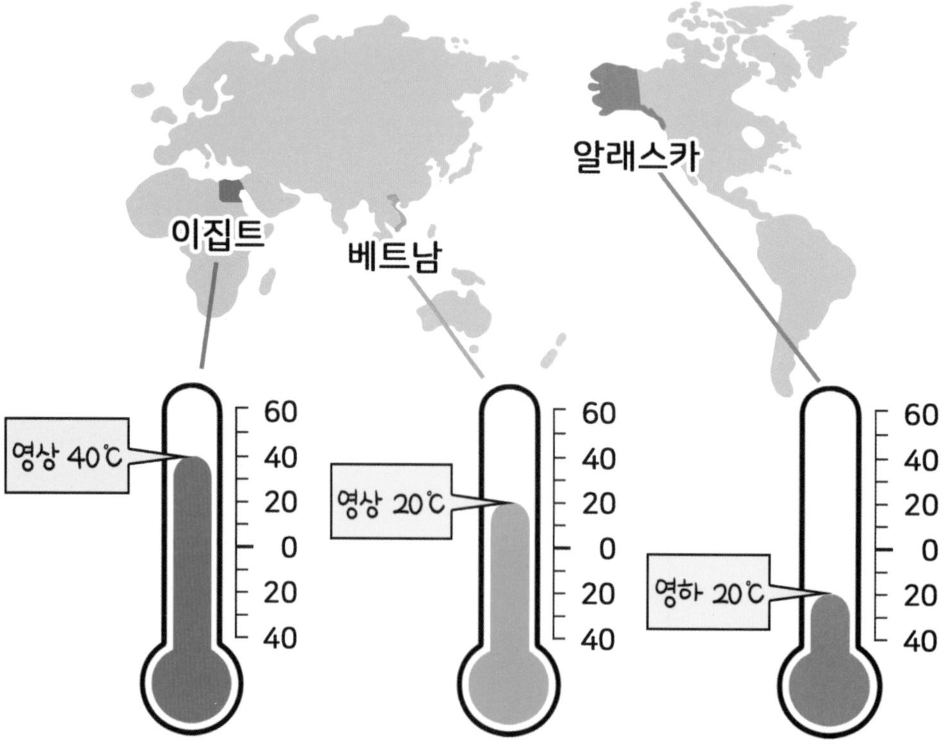

학부모 가이드 온도를 비교하여 추운 날씨와 더운 날씨를 구분해 보면서 비교 사고력을 기를 수 있어요.

우뇌
위치

크리스마스는 추울까? 더울까?

대한민국과 호주는 다음 기준선을 중심으로 서로 반대쪽에 있어요.
지구는 기준선을 중심으로 위쪽과 아래쪽의 계절이 반대예요.
호주의 크리스마스 풍경에 가장 가까운 모습을 아래 그림에서 찾아 ○ 해요.

 대한민국

기준선

호주  ?

호기심 팡팡 추운 크리스마스가 좋아? 더운 크리스마스가 좋아?

계절

어떤 계절이 떠올라?

우리나라는 봄, 여름, 가을, 겨울 사계절이 있어요.
카드에 적힌 낱말을 보고, 공통적으로 생각나는 계절을 써요.

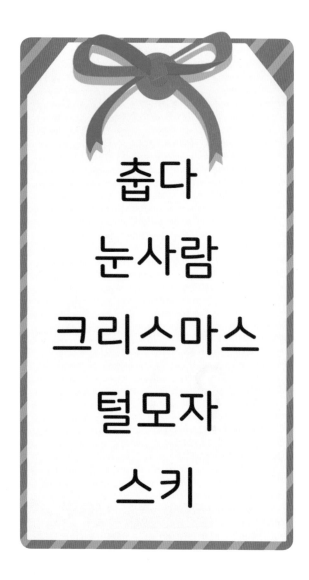

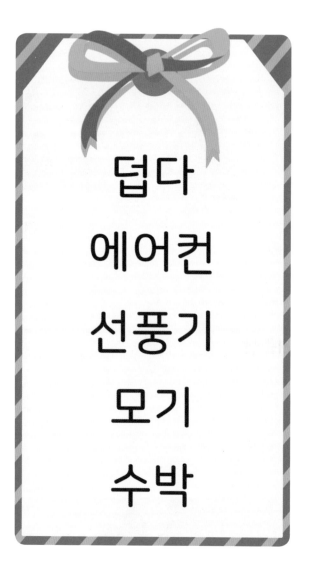

 학부모 가이드 적혀진 낱말의 공통점을 생각해 보면서 직관적인 언어 사고력을 기를 수 있어요.

봄, 여름, 가을, 겨울

우리나라는 봄, 여름, 가을, 겨울의 사계절이 순서대로 찾아와요.
그림을 보면서 계절을 떠올려 보고, 계절의 순서에 맞게 숫자를 써요.

1

호기심 팡팡 봄, 여름, 가을, 겨울 중 무슨 계절이 좋아?

계절 **65**

감정을 표현해 봐요

감정은 느끼는 것만큼이나 잘 표현하는 것이 중요해.
솔직한 마음을 잘 표현하면 믿음도 만들어지고,
믿음이 커지면 사이도 좋아지기 때문이야.

은우가 내 장난감을 망가뜨리고,
지우가 내 과자를 다 먹어 버렸어.
난 어떻게 감정을 표현해야 할까?

은우에게 '버럭' 화를 내야 해.
화를 내야 내 기분이 좋아지거든.

화를 내면 내 기분도 안 좋아지니
까 지우에게 왜 그랬는지 물어 보
고 속상한 마음을 말로 표현해.

6주

1일 식물
좌뇌 우뇌
비교 | 구별

2일 꽃
좌뇌 우뇌
언어 | 규칙

3일 나무
좌뇌 우뇌
언어 | 모양

4일 과일
좌뇌 우뇌
비교 | 기억

5일 채소
좌뇌 우뇌
수리 | 기억

식물

키가 크고 싶다면?

토미와 소미가 똑같은 종류와 크기의 식물을 키우고 있어요.
그림에서 식물의 키가 크려면 무엇이 필요한지 모두 찾아 ○ 해요.

물   과자   햇빛   과일   숙제   친구

학부모 가이드 식물이 잘 자라기 위해 필요한 조건들을 판단해 보면서 비교 사고력을 기를 수 있어요.

뿌리, 줄기, 잎이 사라졌어!

해리의 투명 망토가 바람에 날려 식물에 걸려 있어요.
투명 망토가 식물의 어느 부분을 사라지게 하였는지 빈칸에 써요.

호기심 팡팡 투명 망토로 무엇을 사라지게 하고 싶니?

2일 꽃

좌뇌

언어

꽃의 이름을 완성해 줘!

네버랜드에 이름없는 꽃들이 피었어요.

다음 자음자를 보고, 빈칸에 꽃의 모습과 어울리는 이름을 완성해 주세요.

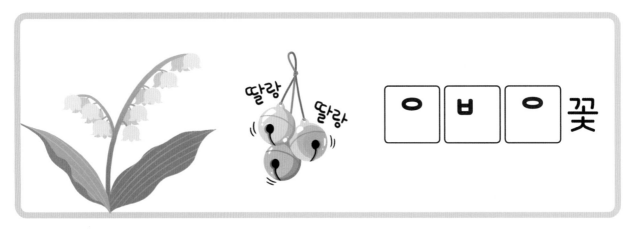

학부모 가이드) 꽃의 모습을 사람이나 사물과 연관지어 보면서 직관적인 언어 사고력을 기를 수 있어요.

꽃의 이름을 찾아 줘!

사라 마녀가 꽃에 마법을 걸어서 꽃의 이름이 사라졌어요.
암호를 풀어서 꽃의 이름을 찾아 빈칸에 써요.

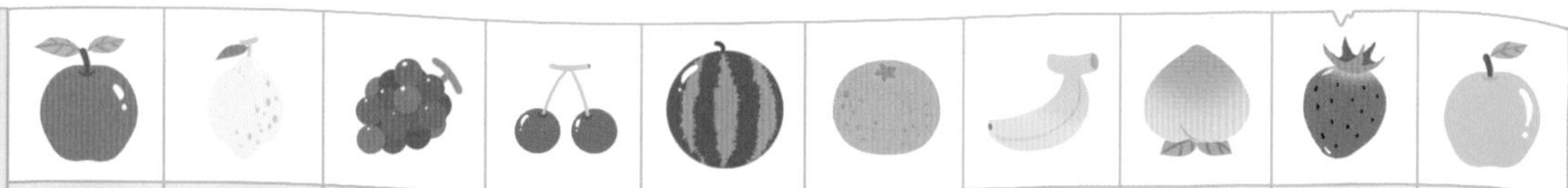

암호										
	화	궁	미	민	무	꽃	장	들	벚	레

호기심 팡팡 어떤 꽃을 가장 좋아하니?

나무의 이름을 완성해 줘!

네버랜드에 이름없는 나무들이 자라났어요. 다음 자음자와 그림을 보고 떠오르는 낱말을 합쳐서 빈칸에 나무의 이름을 완성해 주세요.

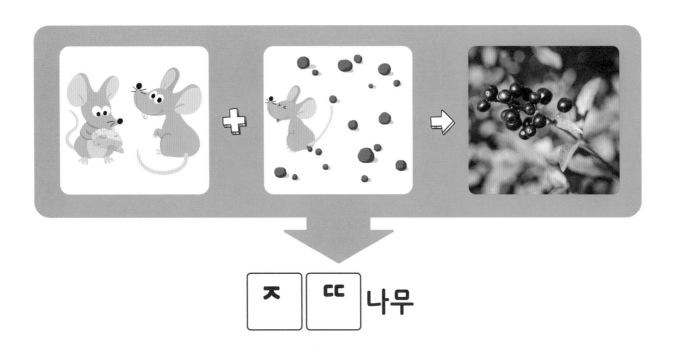

ㅈ ㄸ 나무

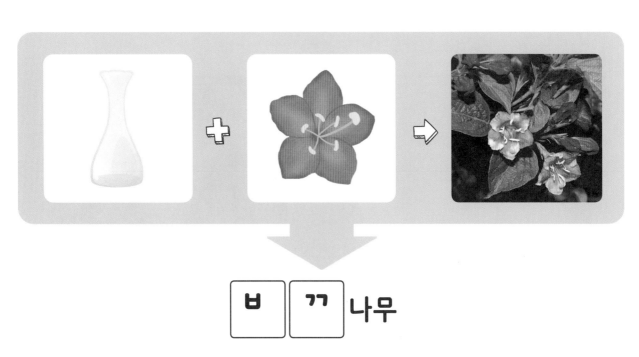

ㅂ ㄲ 나무

학부모 가이드 사물의 이름을 조합하여 나무의 이름을 완성해 보면서 직관적인 언어 사고력을 기를 수 있어요.

숲속 운동회를 열어 볼까?

숲속 나뭇잎들이 모양에 따라 팀을 나누어 숲속 운동회를 열었어요.
동글동글한 두두팀에는 ◯ , 길쭉길쭉한 말라팀에는 △ 해요.

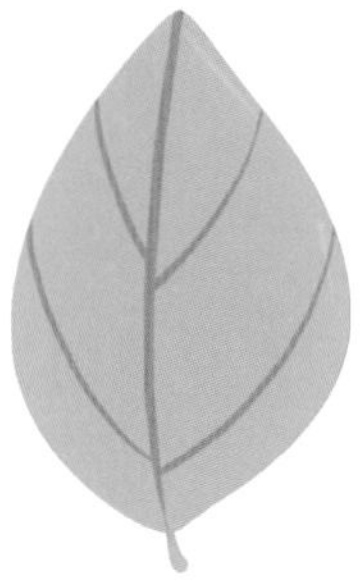

두두   말라

호기심 팡팡 가을에는 나뭇잎이 어떤 색으로 변할까?

똑같은 양의 과일을 먹으려면?

악어와 하마가 똑같은 양의 과일을 먹을 때, 빈칸에 알맞은 수를 쓰고,
악어가 수박 1개를 먹을 때, 하마는 사과를 몇 개 먹을 수 있는지 써요.

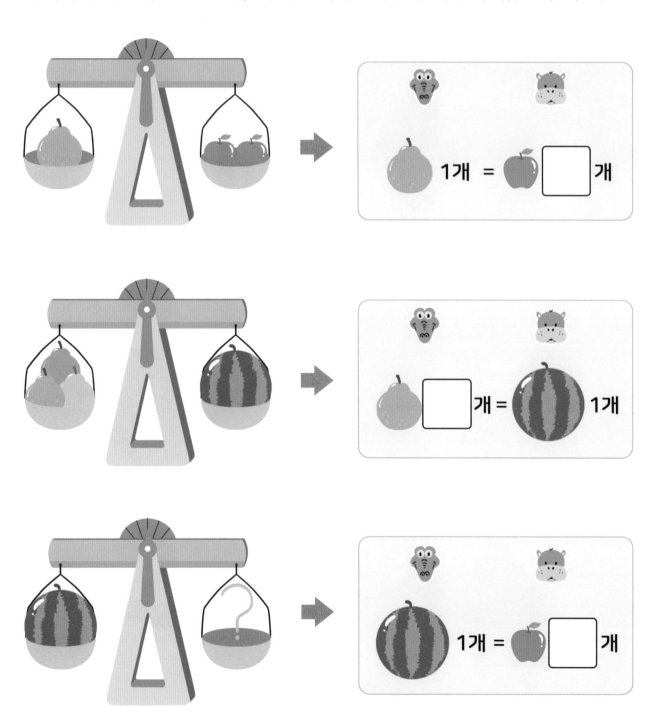

학부모 가이드　물체의 양을 비교해 보면서 수학적 비교 사고력을 기를 수 있어요.

과일의 속을 들여다 볼까?

속을 들여다 볼 수 있는 요술 돋보기가 있어요.
요술 돋보기로 보이는 과일의 모습을 선으로 이어요.

5일 채소

인기 스타 채소를 뽑아 줘!

캐리 유치원에서는 친구들이 가장 좋아하는 채소로 간식을 만들려고 해요.
친구들은 다음과 같이 가장 좋아하는 채소에 동그라미 스티커를 붙였어요.
가장 많은 스티커가 붙어 있는 인기 스타 채소를 찾아 ◯ 해요.

학부모 가이드 스티커의 개수를 비교하는 과정을 통해 수리 사고력을 기를 수 있어요.

우뇌

기억

채소의 색깔을 찾아 줘!

채소의 알록달록한 색깔을 질투하던 투명나라 마녀가 있어요.
마녀는 채소의 모습이 모두 투명하게 변하도록 마법을 걸었어요.
마법이 걸리기 전 알록달록한 채소의 색깔을 색칠해요.

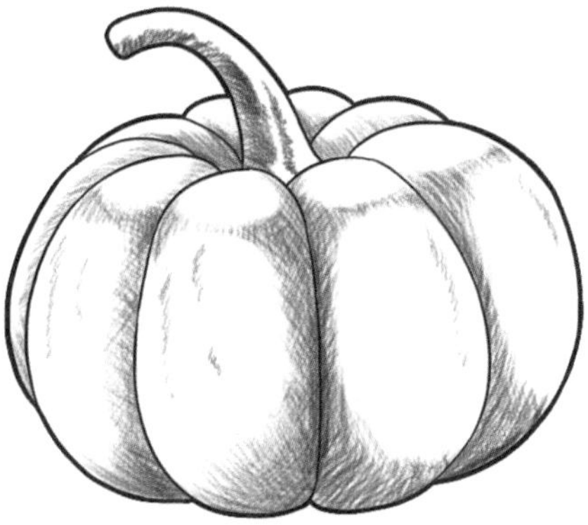

호박   브로콜리   옥수수

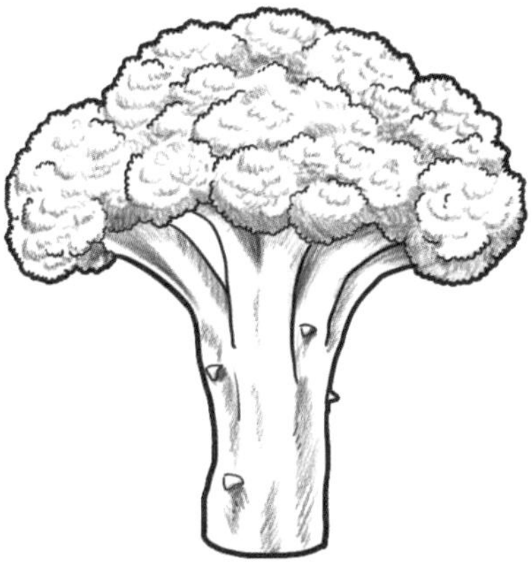

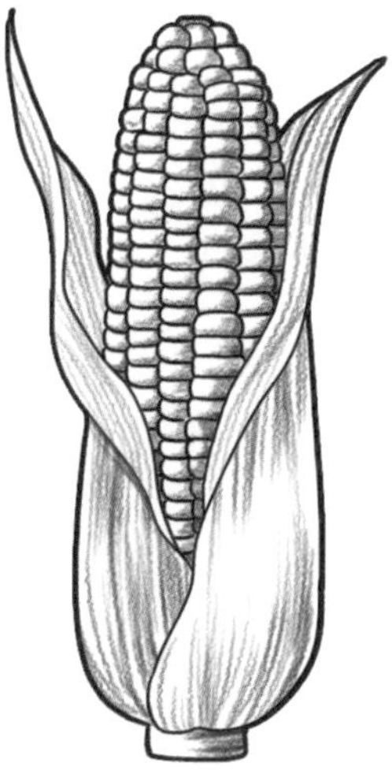

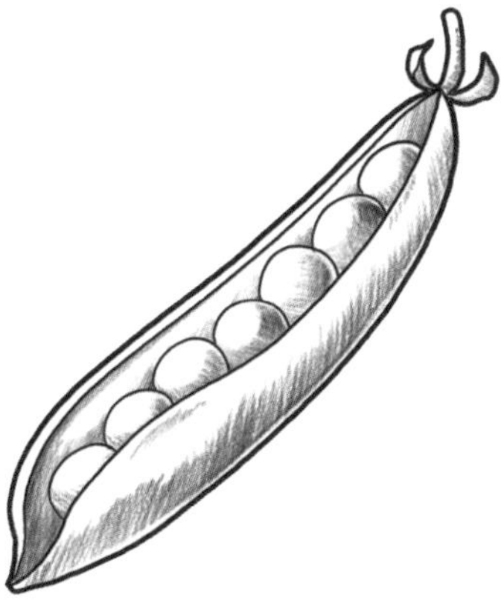

완두콩   무   마늘

호기심 팡팡 초록색이 있는 채소에는 무엇이 있을까?

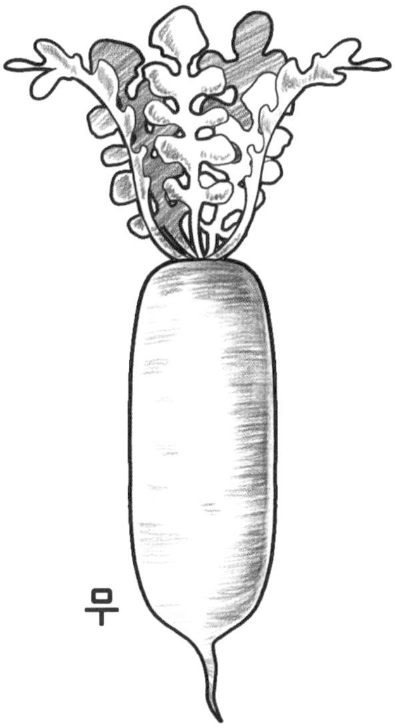

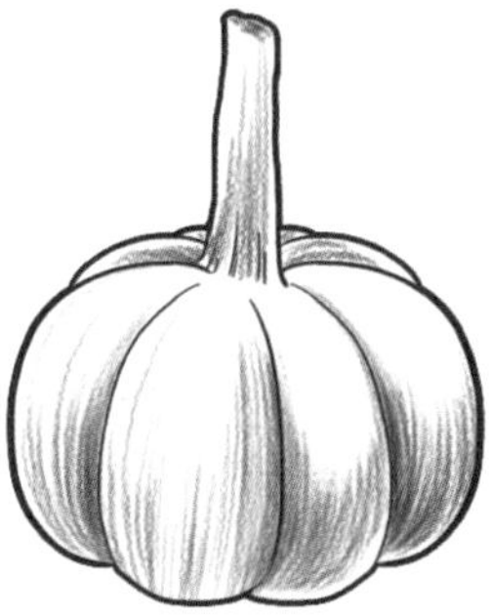

공공장소에서 예절을 지켜요

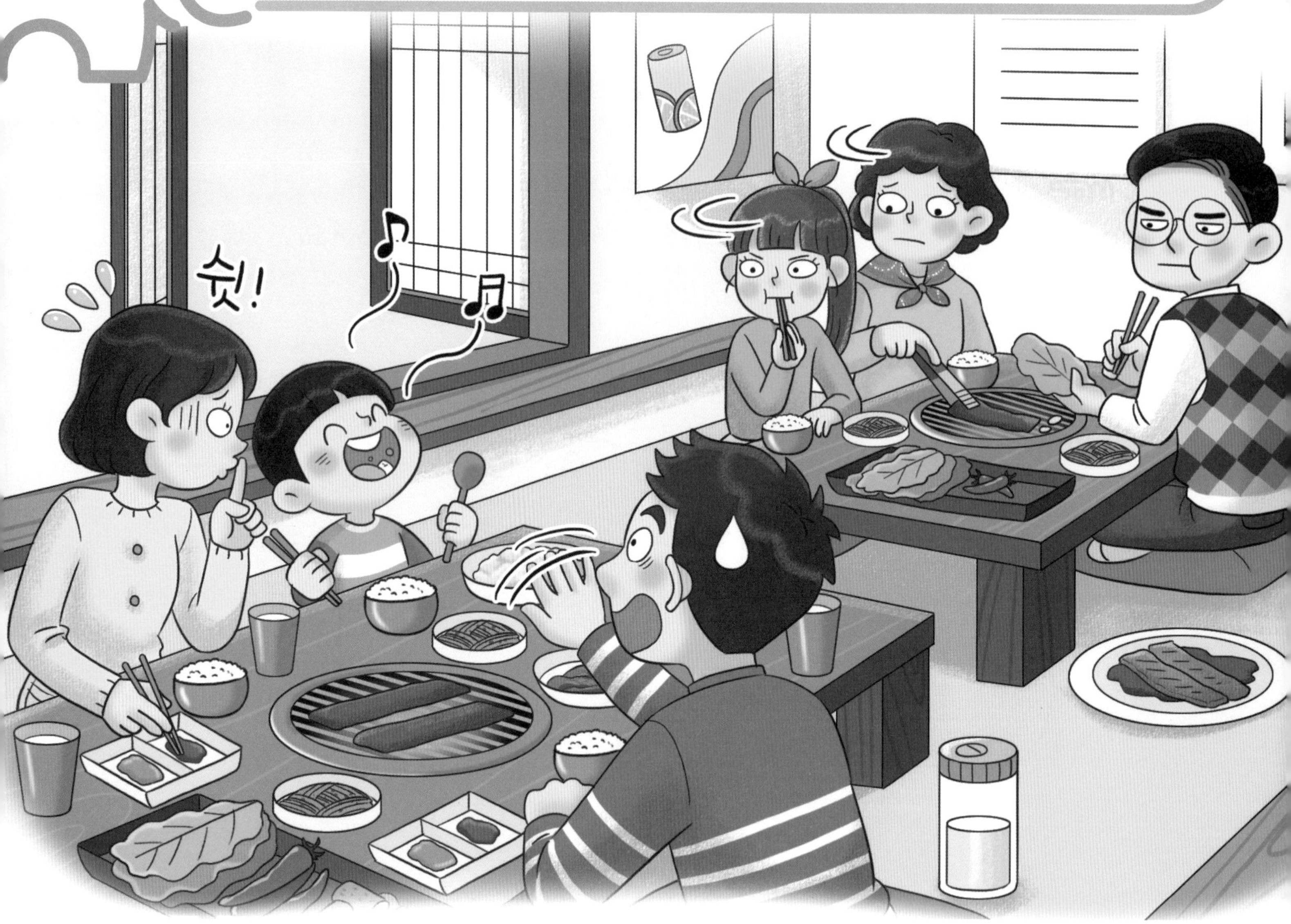

나는 가족과 함께 식당에서 밥을 먹는데,
갑자기 노래가 부르고 싶었어.

나는 식당에서 어떻게 행동해야 할까?

큰 소리로 노래를 불러.	노래를 부르고 싶더라도 참고 집에 돌아와서 노래를 불러.

7주

1일 탈것
좌뇌 우뇌
수리 | 기억

2일 톱니바퀴
좌뇌 우뇌
논리 | 규칙

3일 지도
좌뇌 우뇌
논리 | 위치

4일 길
좌뇌 우뇌
수리 | 모양

5일 건물
좌뇌 우뇌
수리 | 규칙

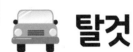

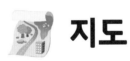

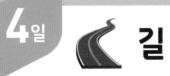

탈것

개수를 세어 봐!

우리 주변의 탈것에는 바퀴가 있는 것과 없는 것이 있어요.
탈것의 바퀴 수와 관련 있는 것끼리 선으로 이어요.

 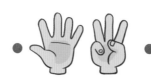 

학부모 가이드 탈것의 바퀴 수, 펼친 손가락 수, 동물의 다리 수를 세어 보면서 수에 대한 감각을 기를 수 있어요.

장소에 따라 다르다고?

땅, 바다, 하늘에는 다양한 모양의 탈것들이 움직이고 있어요.
각 줄에서 활동 장소가 다른 탈것을 찾아 ◯ 해요.

   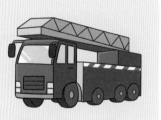

호기심 팡팡 비행기에도 바퀴가 있을까?

2일 톱니바퀴

어떻게 움직일까?

규민이가 공원에서 자전거를 타고 있어요.

자전거의 발걸이와 뒷바퀴가 다음과 같이 연결되어 있을 때,

두 톱니바퀴가 움직이는 방향을 바르게 나타낸 것을 찾아 ○ 해요.

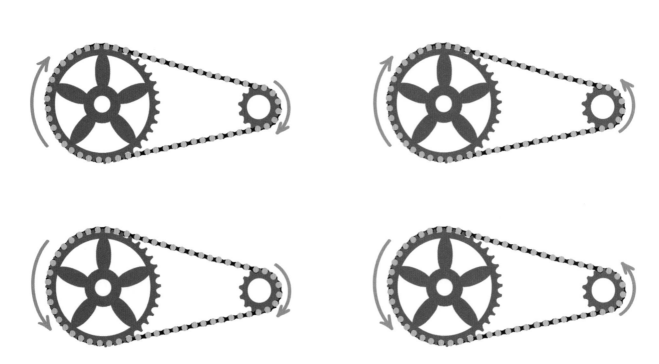

학부모 가이드 자전거 바퀴와 두 톱니바퀴가 움직이는 방향을 생각해 보면서 논리적 사고력을 기를 수 있어요.

어느 방향으로 돌아갈까?

3개의 톱니바퀴가 다음과 같이 맞물려 돌아가고 있어요.
노란색 톱니바퀴가 오른쪽으로 돌아갈 때,
빨간색 톱니바퀴가 돌아가는 방향을 찾아 ◯ 해요.

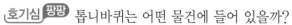 호기심 팡팡 톱니바퀴는 어떤 물건에 들어 있을까?

집에 빨리 가고 싶어!

노라 유치원에 다니는 친구들의 집이 표시된 그림이에요.

모든 친구들이 가장 짧은 시간 안에 집에 도착하려면,

친구들의 집을 어떤 순서로 지나가야 하는지 친구들의 이름을 써요.

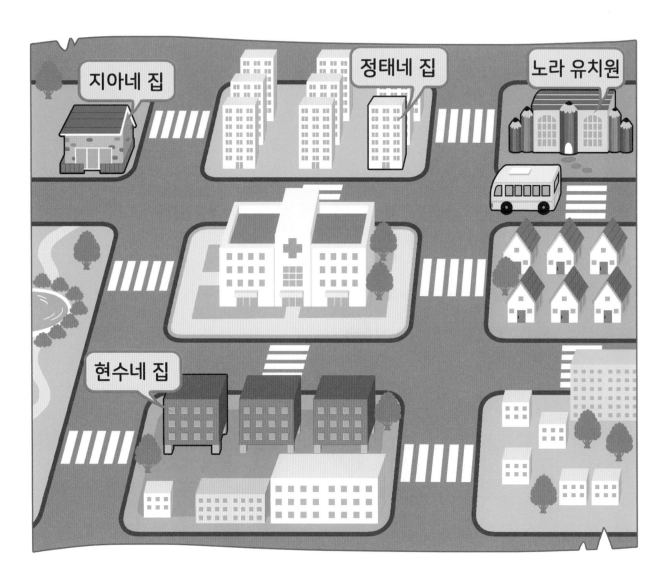

네 집 ➡ 네 집 ➡ 네 집

학부모 가이드 집으로 가는 방법 중 가장 빠른 길을 찾는 활동을 통해 논리적 사고력을 기를 수 있어요.

하늘에서는 어떻게 보일까?

다음은 민하가 관광지를 소개하는 TV 프로그램에서 본 사진이에요.
민하가 TV에서 본 장소를 하늘에서 찍은 사진을 찾아 ◯ 해요.

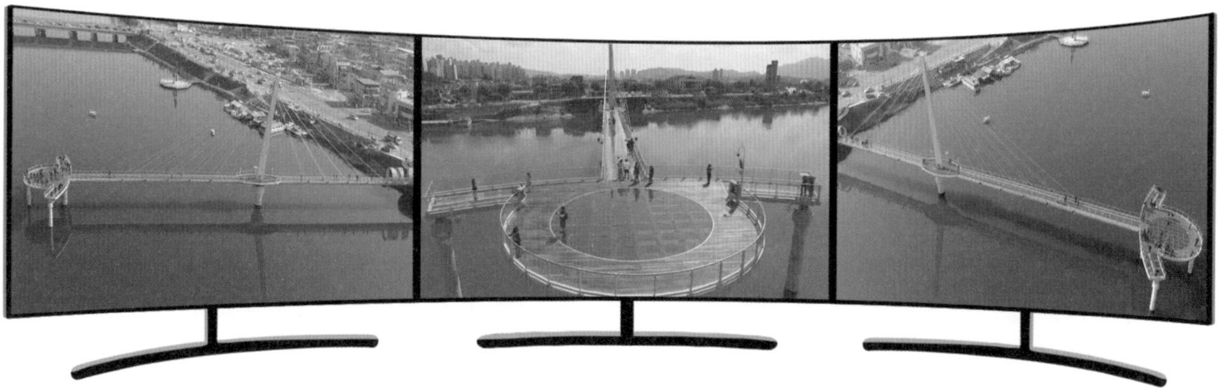

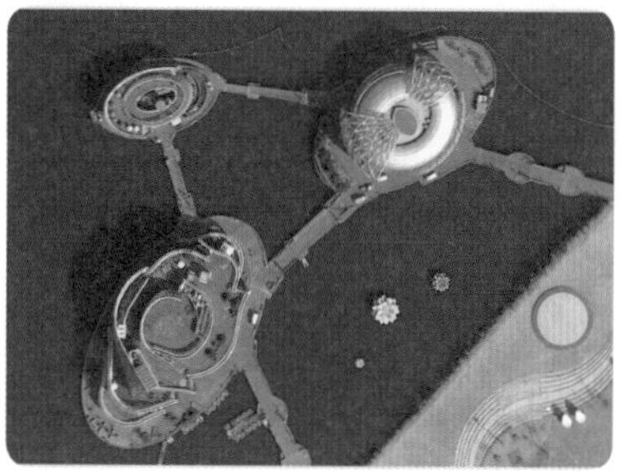

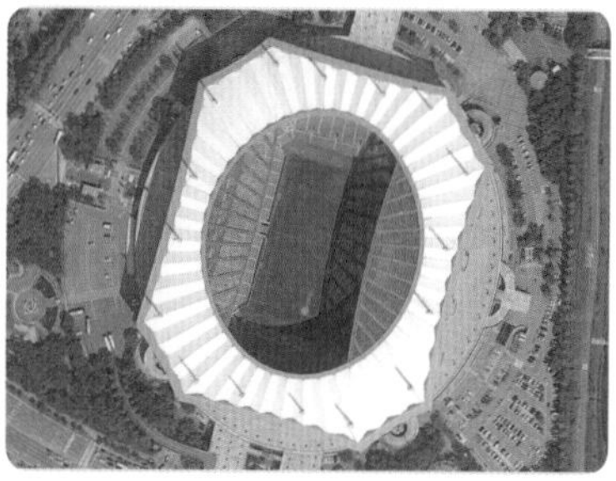

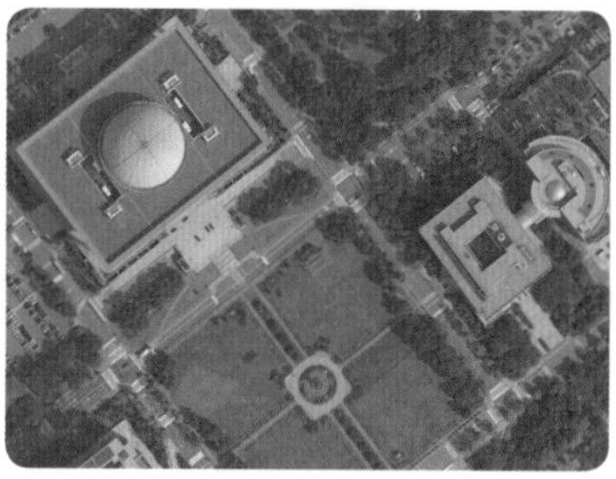

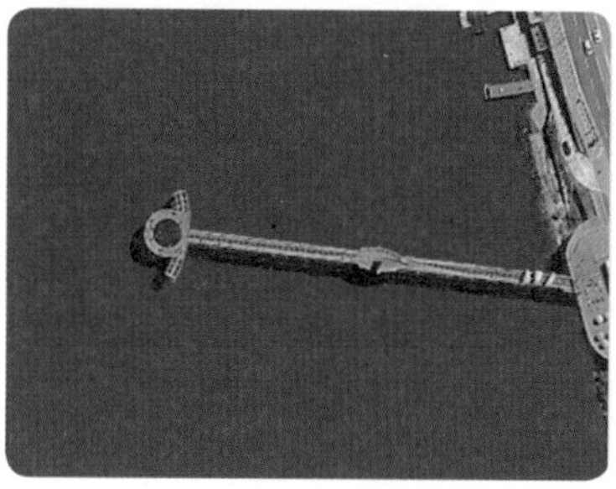

호기심 팡팡 우리 집은 하늘에서 어떻게 보일까?

길

학교로 가는 길!

수현이는 내년 3월이 되면 초등학교에 가요.

집에서 학교까지 가는 길에 ●이 모두 10개가 되도록 선을 그어요.

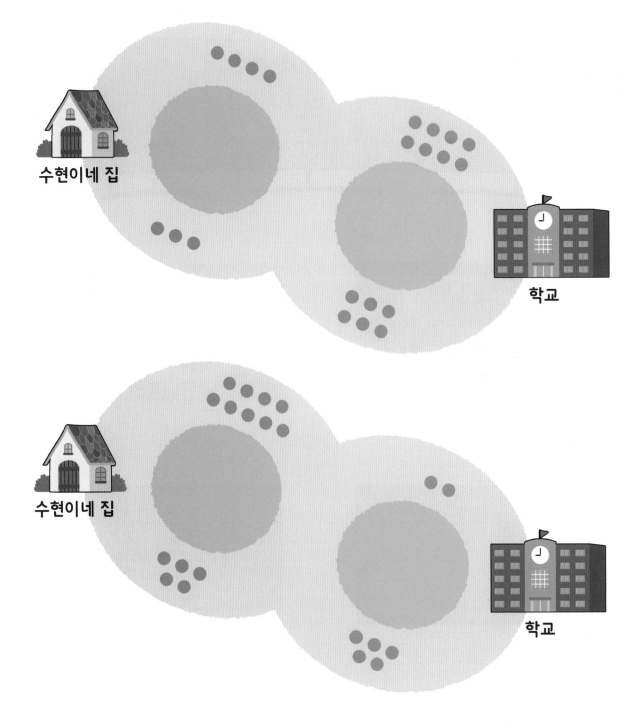

학부모 가이드) 10이 되도록 두 수를 모으는 활동을 통해 덧셈의 원리를 자연스럽게 익힐 수 있어요.

어떤 길이 가장 빠를까?

똑같은 빠르기로 움직이는 자동차가 동시에 출발했어요.
길의 모양을 보고 가장 먼저 도착하는 자동차를 찾아 ◯ 해요.

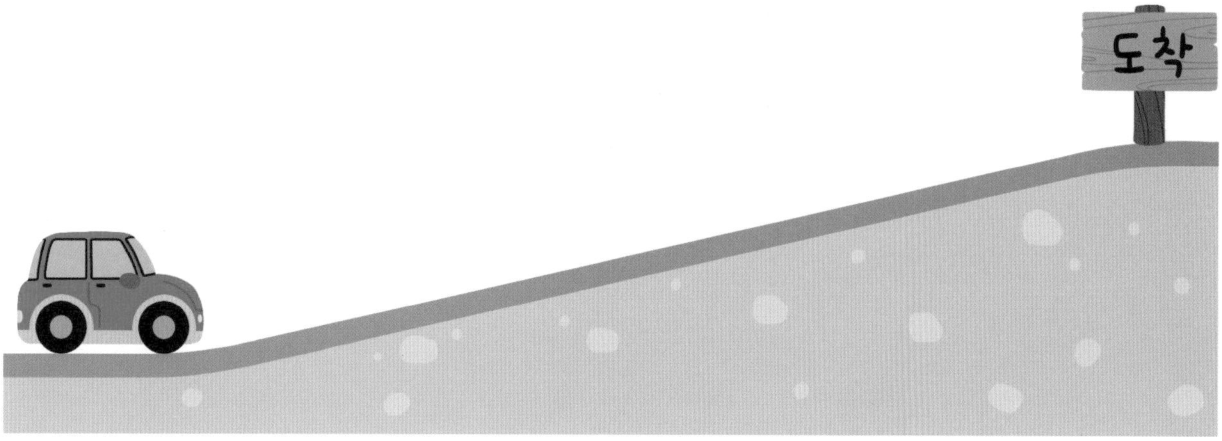

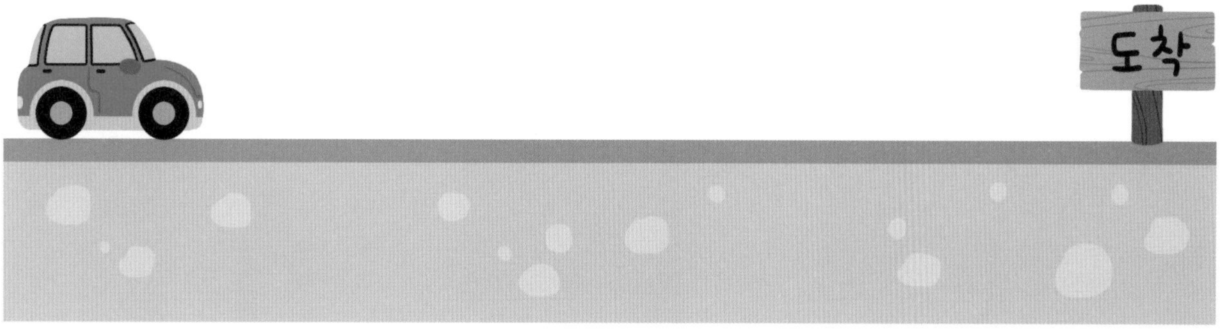

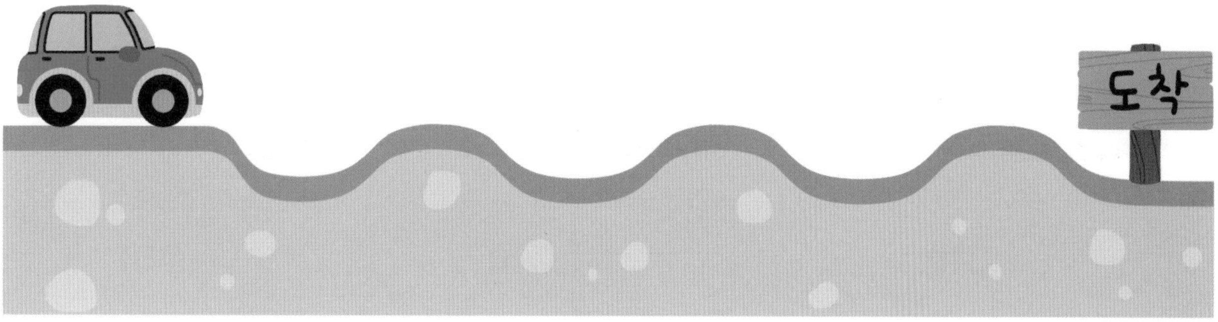

호기심 팡팡 비행기도 날아가는 길이 있을까?

건물

블록을 쌓아 보자!

세계 여러 나라의 높은 건물을 작게 만든 모형이에요.
보기의 블록을 이용하여 잰 각 건물의 높이를 빈칸에 써요.

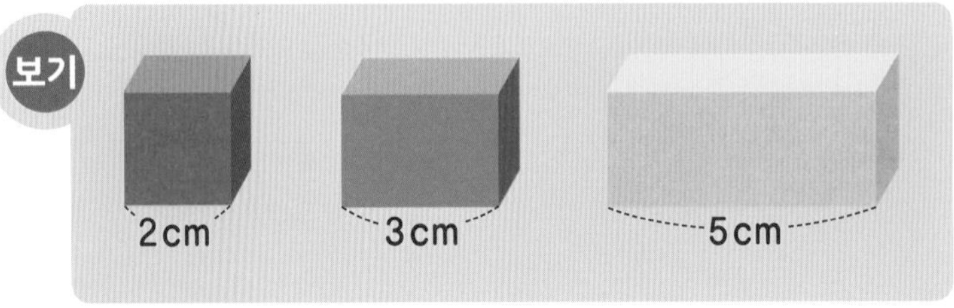

보기
2cm 3cm 5cm

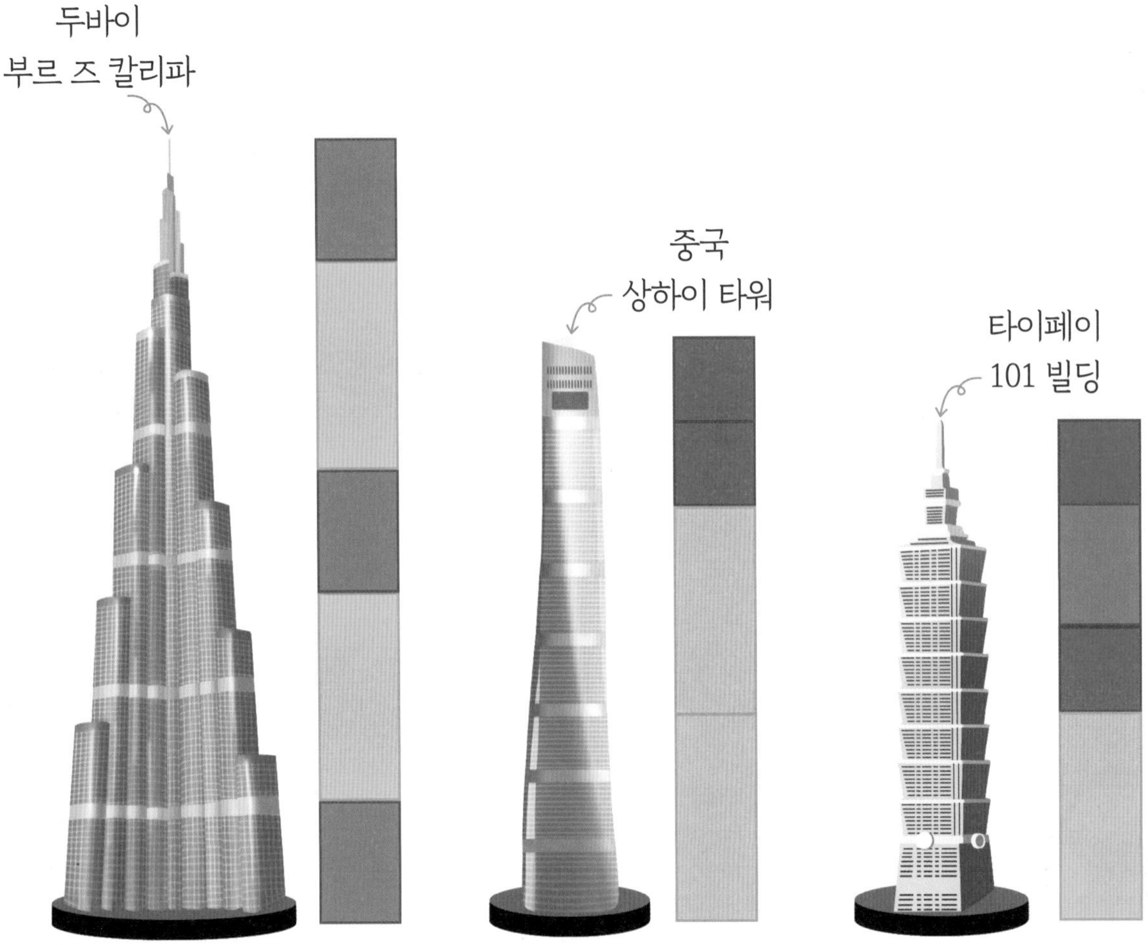

두바이
부르 즈 칼리파

중국
상하이 타워

타이페이
101 빌딩

[   ] cm   [   ] cm   [   ] cm

학부모 가이드 같은 길이의 블록으로 건물의 높이를 알아보면서 수학적 사고력을 기를 수 있어요.

담벼락이 무너졌다고?

정해진 규칙으로 벽돌을 쌓은 담벼락이 태풍 피해로 무너졌어요.
담벼락이 완성된 모양을 상상하면서 무너진 부분을 색칠하고,
색칠한 벽돌의 개수를 각각 세어 빈칸에 써요.

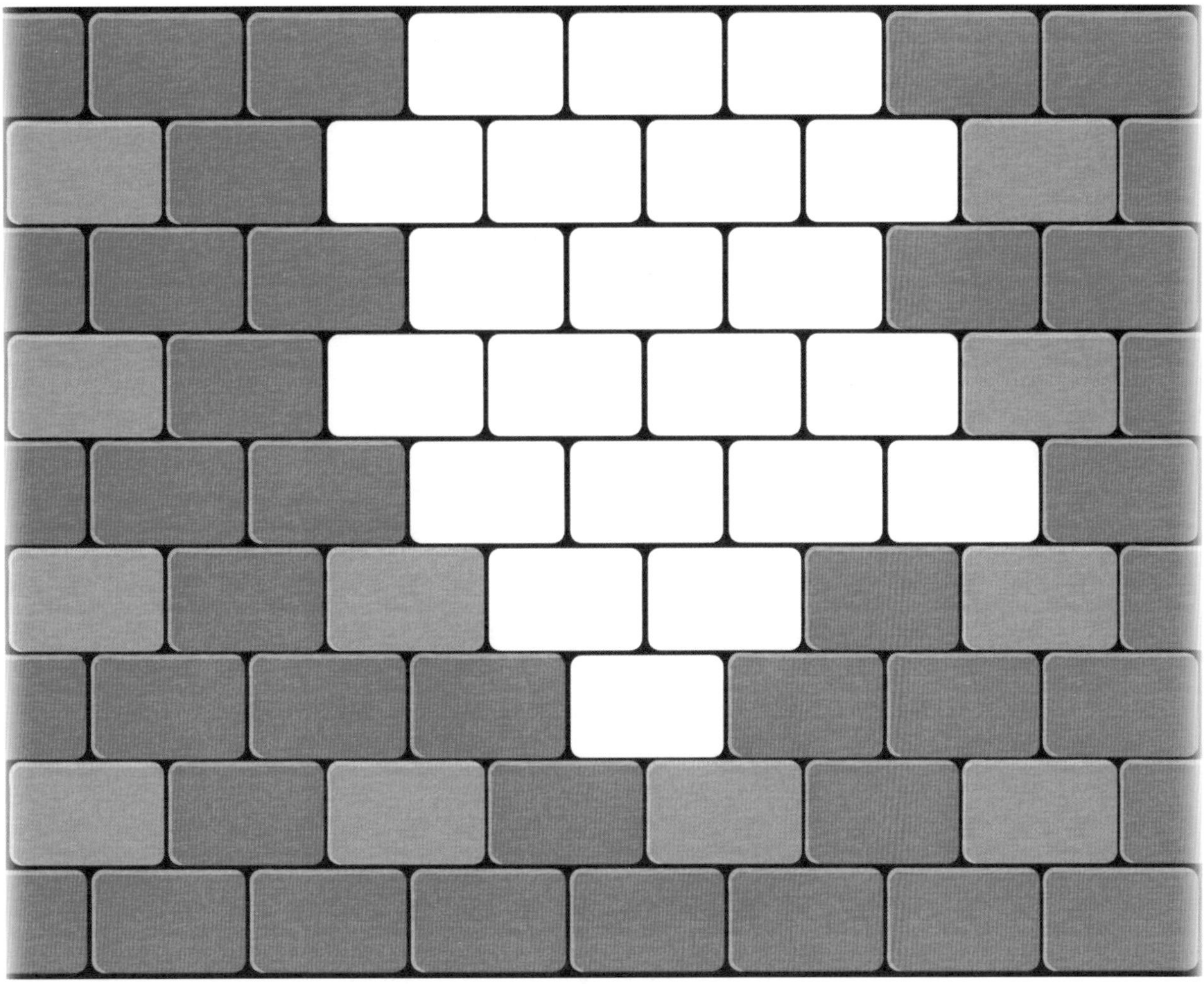

무너진 담벼락을 고치려면

빨간색 벽돌이 ☐ 개, 초록색 벽돌이 ☐ 개 필요해요.

호기심 팡팡 다른 규칙으로 벽돌을 쌓은 담벼락을 찾아볼까?

안전하게 길을 건너요

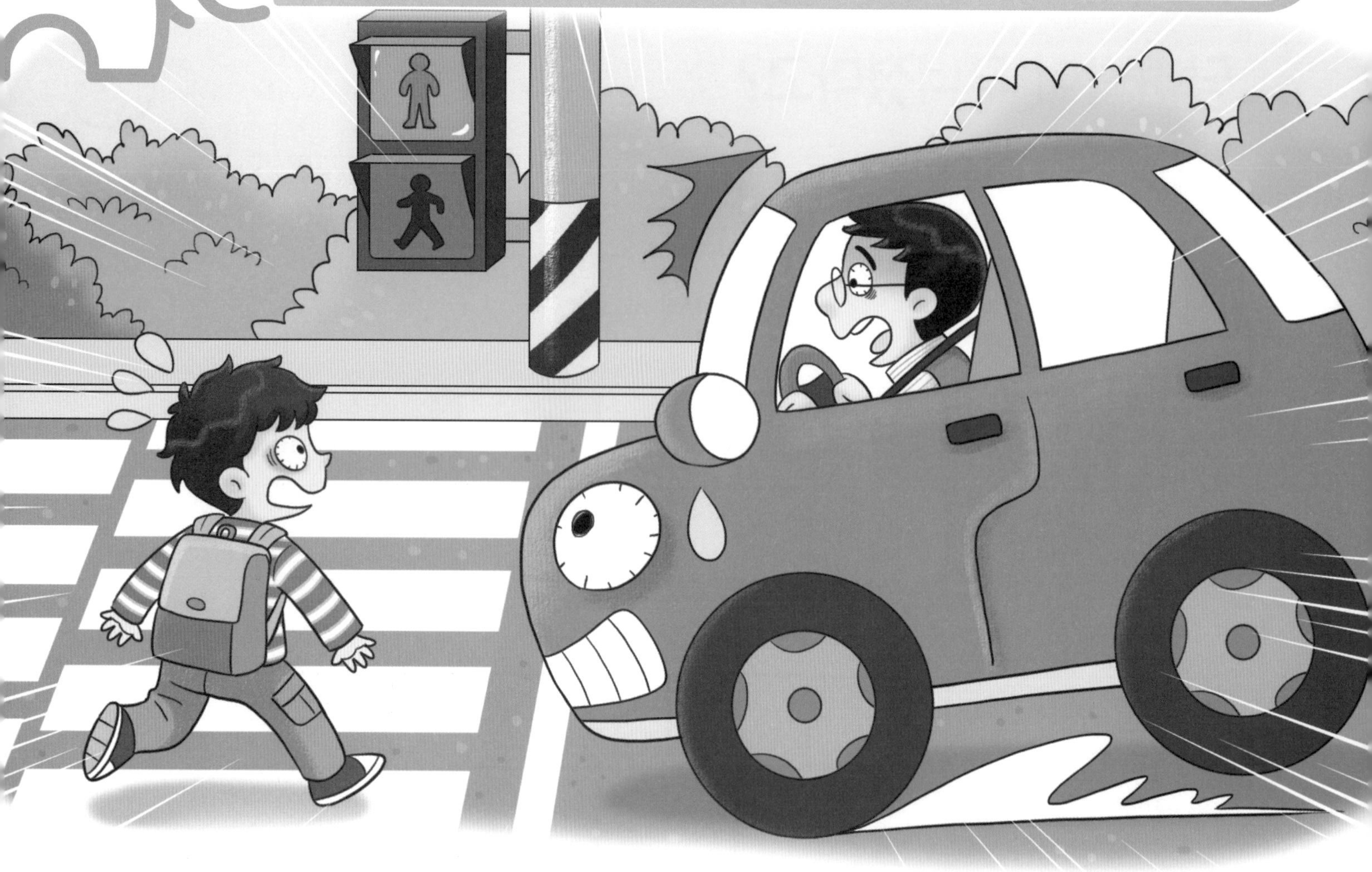

나는 교통안전 규칙을 어기고
횡단보도를 건너다 사고를 당할 뻔했어.

우리가 횡단보도를 건널 수 있는
신호등의 색깔은 무엇일까?

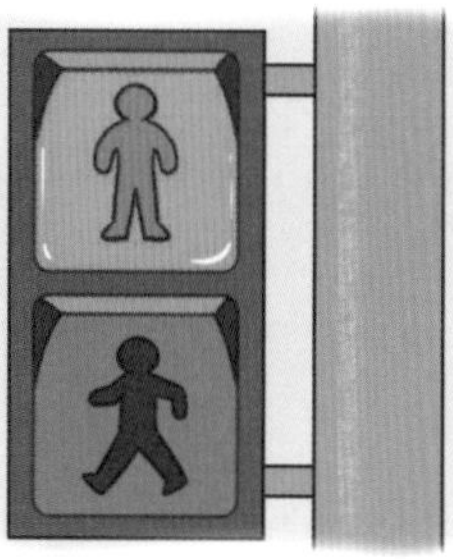   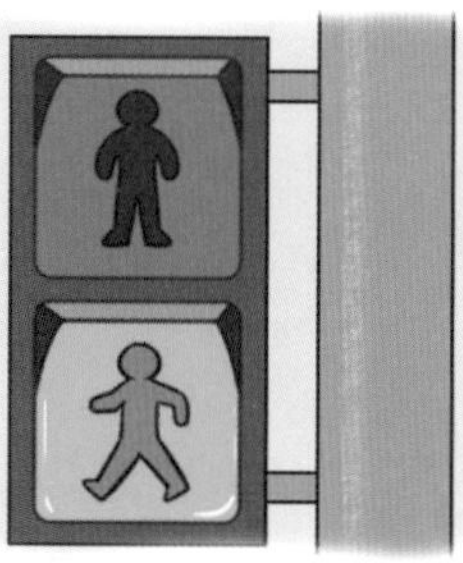

8주

 **화석**
 좌뇌 우뇌
논리 | 구별

 **자석**
 좌뇌 우뇌
상식 | 규칙

 **전기**
 좌뇌 우뇌
상식 | 규칙

 에너지
 좌뇌 우뇌
논리 | 구별

 드론과 로봇
 좌뇌 우뇌
비교 | 규칙

1일

2일

3일

4일

5일

좌뇌

가장 오래된 화석은?

논리

쥐라기 공원에 있는 화석은 다음 그림과 같은 순서로 땅속에 쌓여 있어요.
땅속에 묻힌지 가장 오래된 화석을 찾아 ◯ 해요.

학부모 가이드 가장 오래된 화석은 먼저 묻힌 화석임을 깨닫는 과정을 통해 논리적 사고력을 기를 수 있어요.

어떤 공룡의 뼈일까?

박물관에 도둑이 들어 공룡의 뼈가 바닥에 여기저기 떨어졌어요.
각 뼈의 주인을 찾아 선으로 이어요.

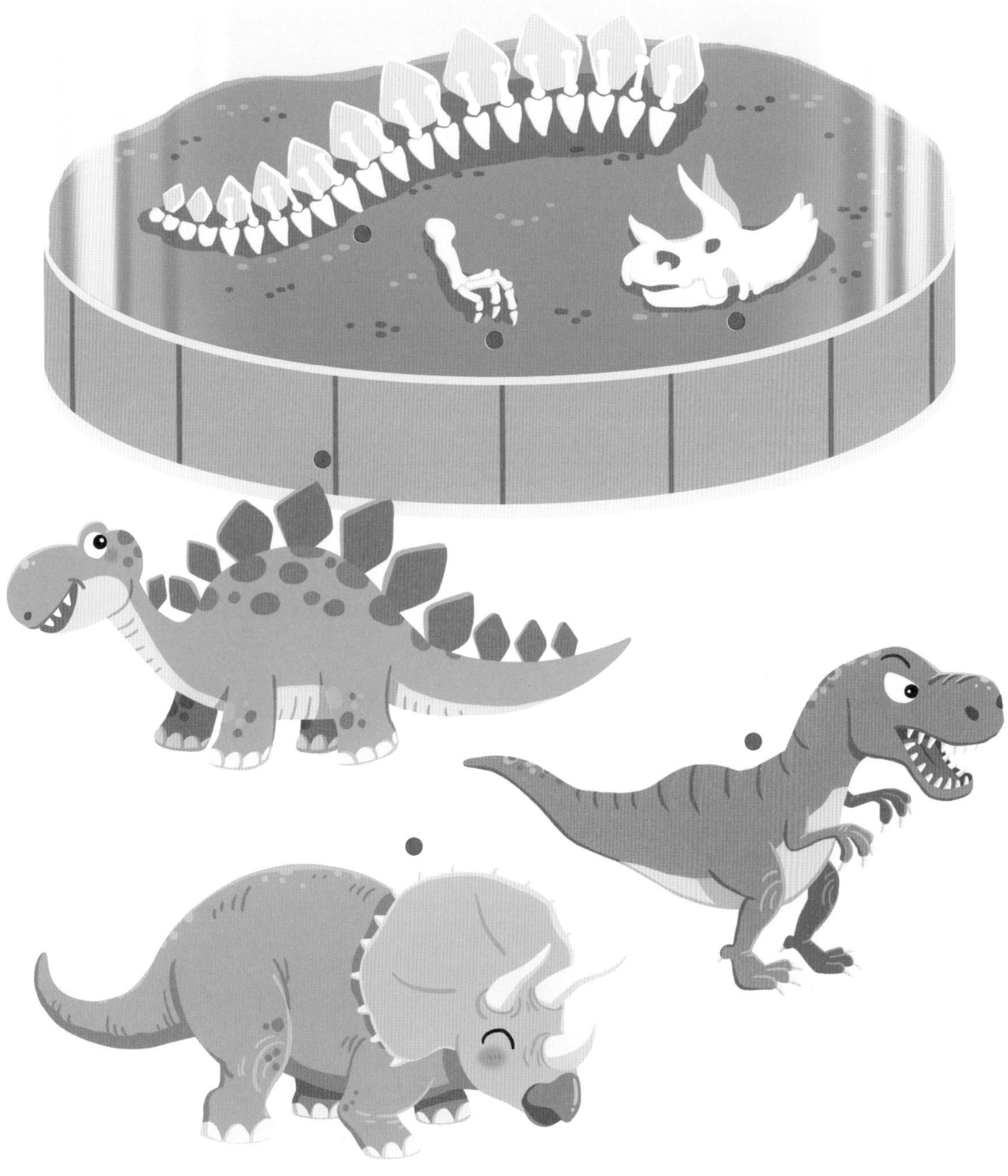

호기심 팡팡 뼈는 딱딱할까?

2일 자석

자석 친구들 모여라!

우리 마을에 비가 많이 내려 홍수가 났어요.

물건들이 물에 젖어 엉망이 되기 전에 자석 칠판에 붙여야 해요.

자석 칠판에 붙는 물건을 찾아 ○ 해요.

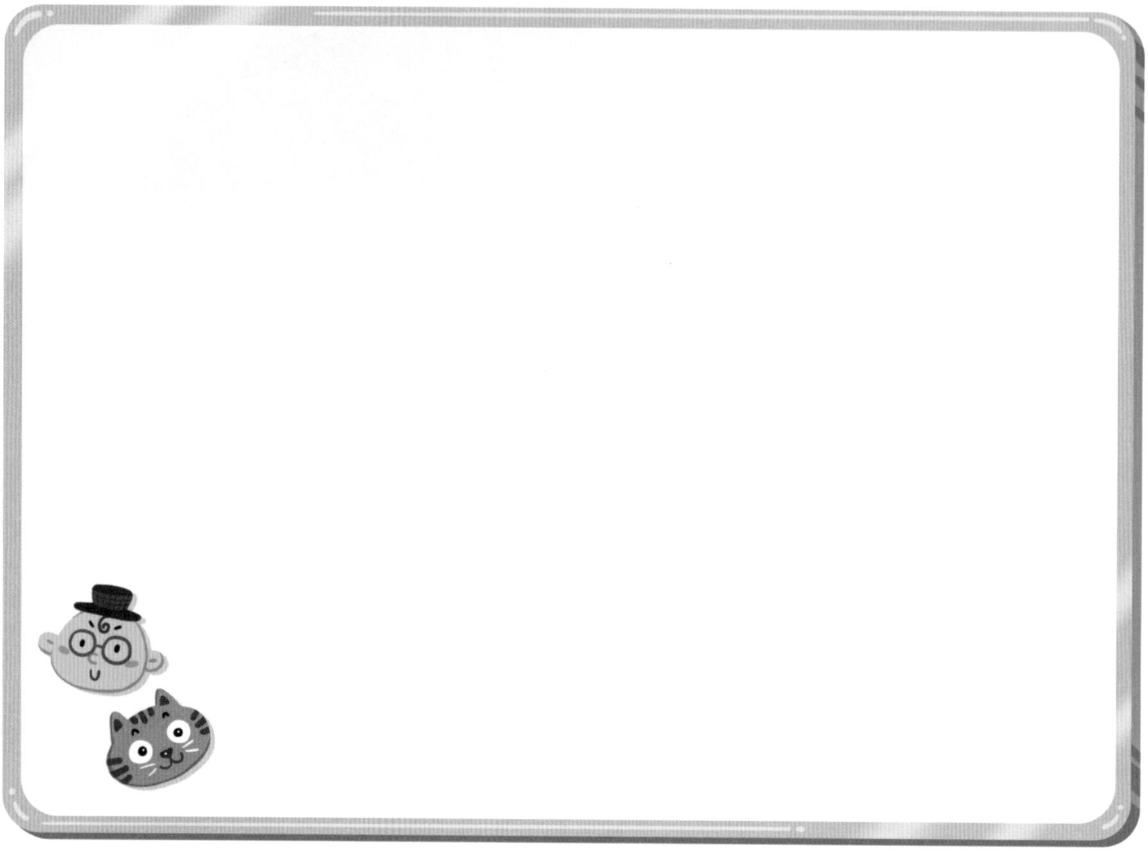

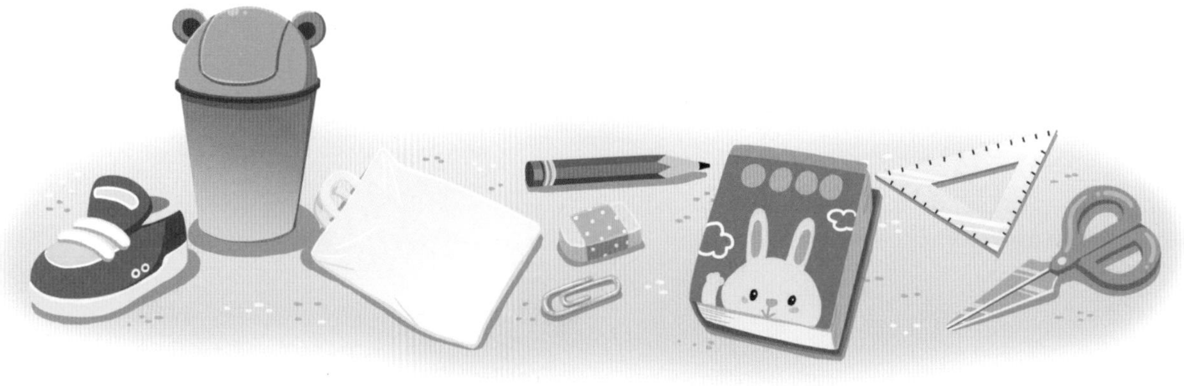

학부모 가이드 자석 칠판에 다양한 물건을 붙여 본 경험을 떠올려 보면서 생활 상식을 넓힐 수 있어요.

공룡 렉스를 구해 줘!

공룡 렉스가 탄 배가 보니에게서 점점 멀어지고 있어요.

배 안에는 자석이 있어요.

자석을 이용하여 렉스를 구할 수 있는 방법을 찾아 ○ 해요.

힌트 자석은 같은 극끼리는 서로 밀고, 다른 극끼리는 서로 잡아 당겨요.

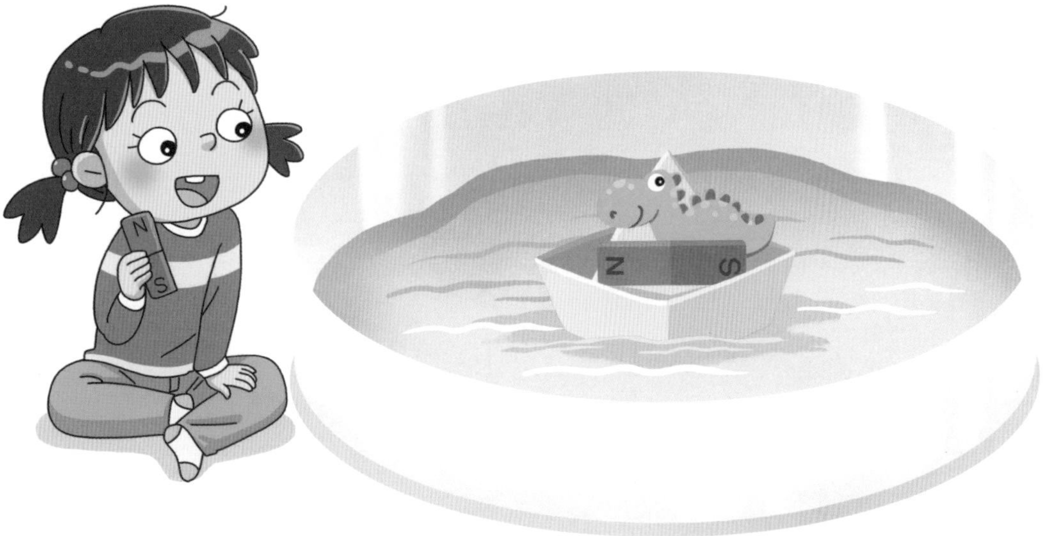

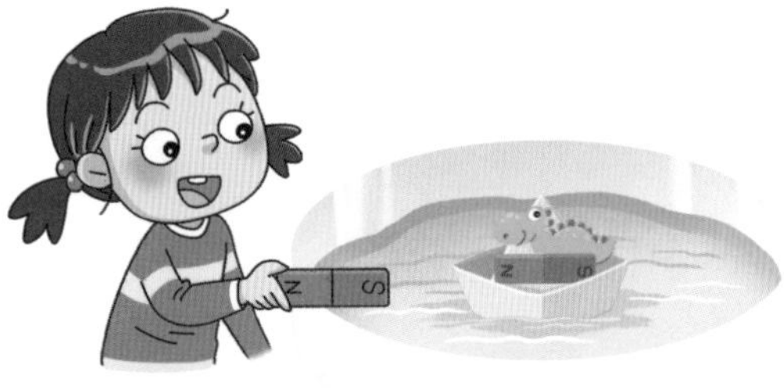

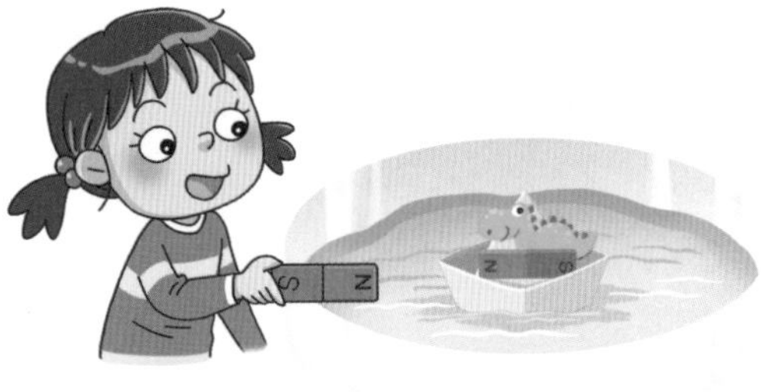

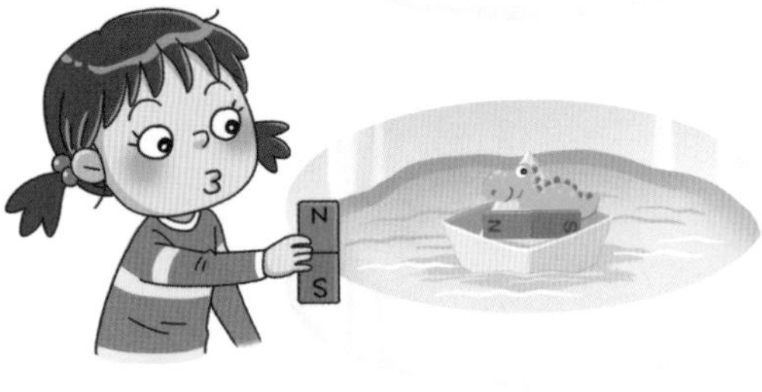

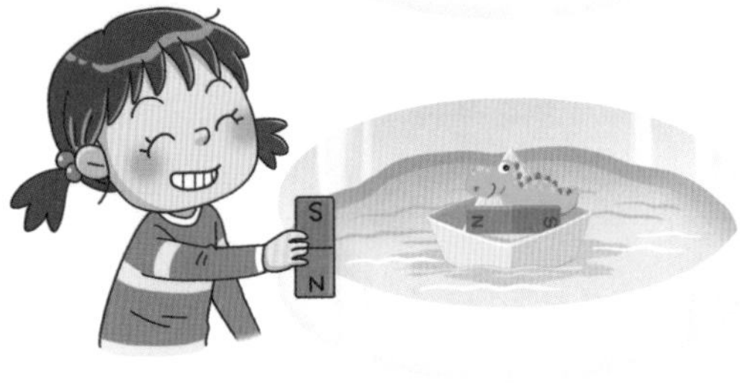

호기심 팡팡 네모 모양이 아닌 다른 모양을 가진 자석도 있을까?

전기

전기가 필요해!

좌뇌
상식

여기는 햇살마을 놀이방이에요.

장난감 중에는 전기를 이용하는 것과 이용하지 않는 것이 있어요.

전기를 이용하여 소리가 나거나 움직이는 장난감에 모두 ○ 해요.

학부모 가이드 전기가 필요한 장난감의 특징을 생각해 보면서 생활 상식을 넓힐 수 있어요.

우뇌

규칙

건전지를 넣어 줘!

은우는 부모님에게 로봇 장난감을 선물로 받았어요.

장난감은 아래 그림과 같은 모양으로 건전지를 넣어야 움직여요.

로봇 장난감에 건전지를 바르게 넣은 그림을 찾아 ◯ 해요.

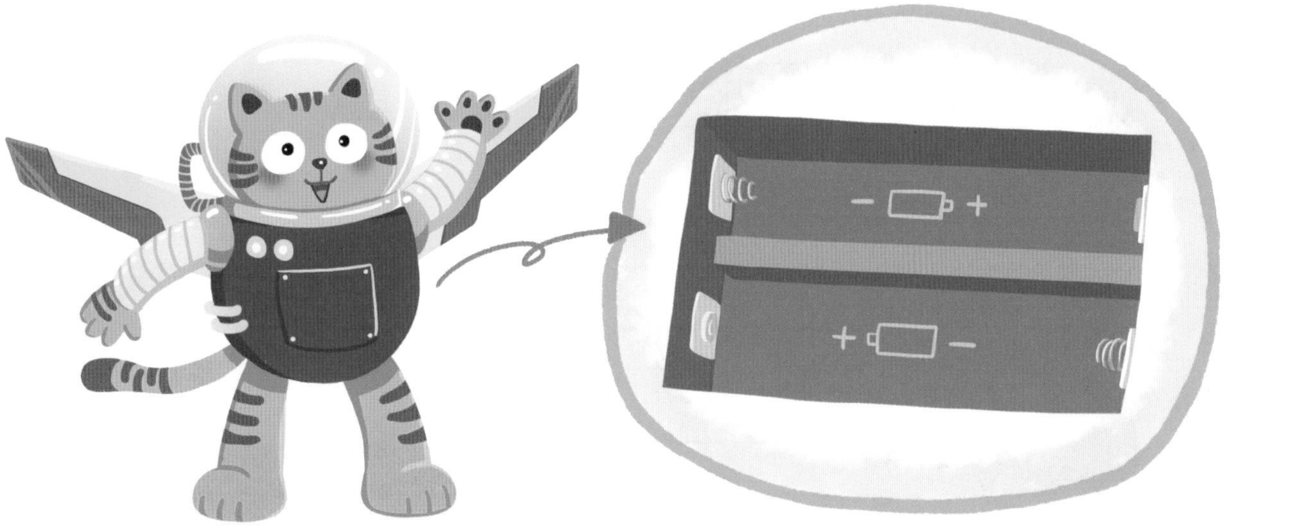

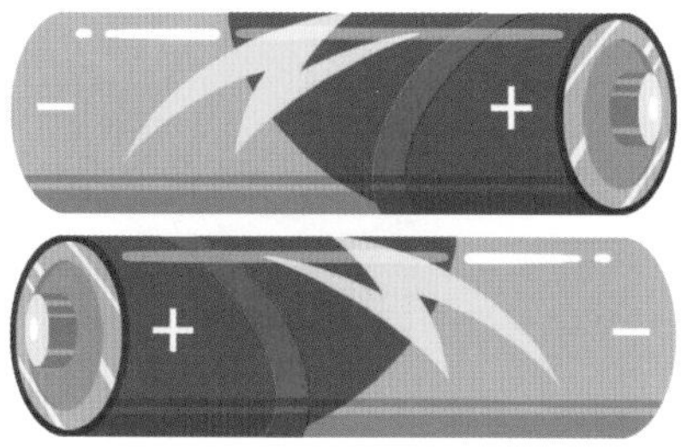

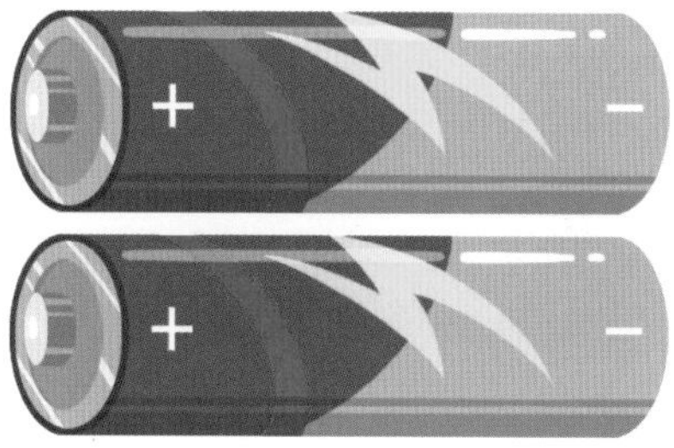

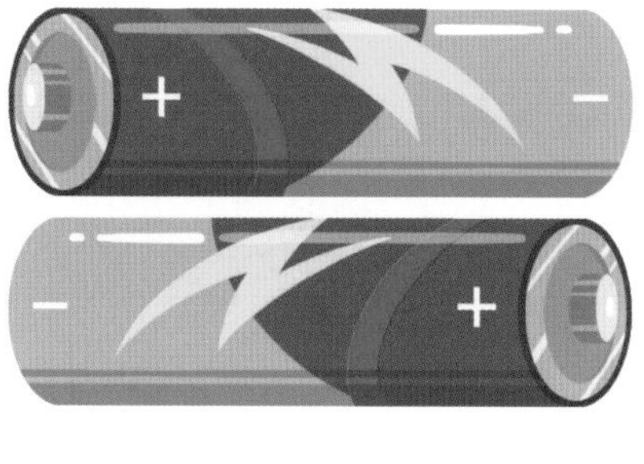

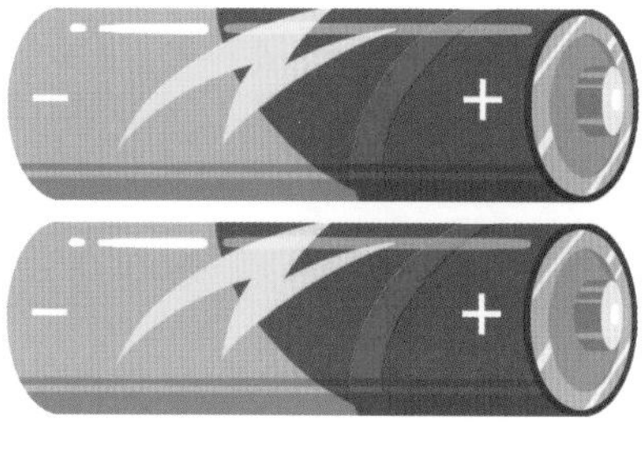

호기심 팡팡 건전지의 모양은 한 종류일까?

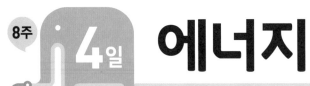

에너지

좌뇌 / 논리

어떤 에너지가 필요할까?

이럴 수가! 문제가 생겼어요. 여러분이 해결사가 되어 각 상황에서
필요한 것을 아래 그림에서 찾아 빈칸에 써요.

| 태양 | 전기 | 음식 |

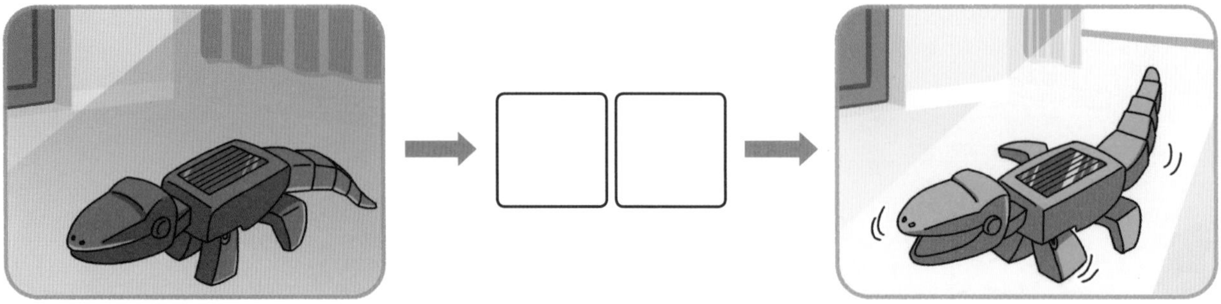

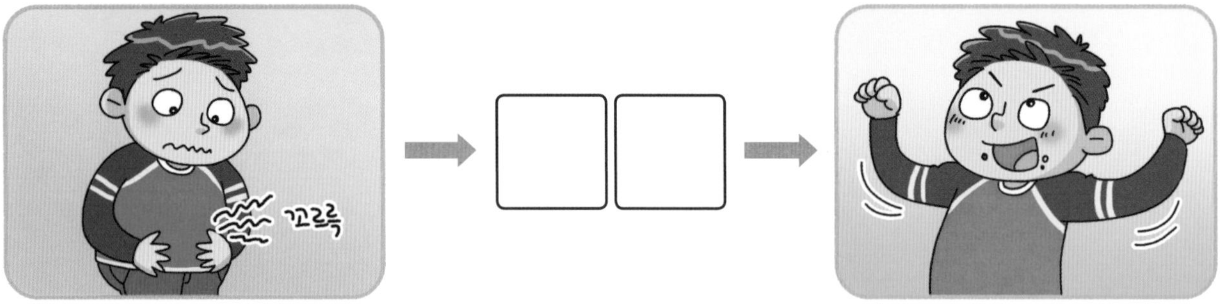

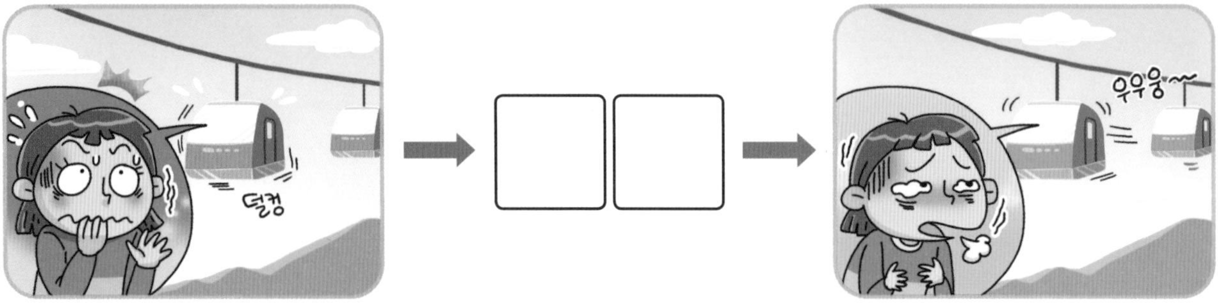

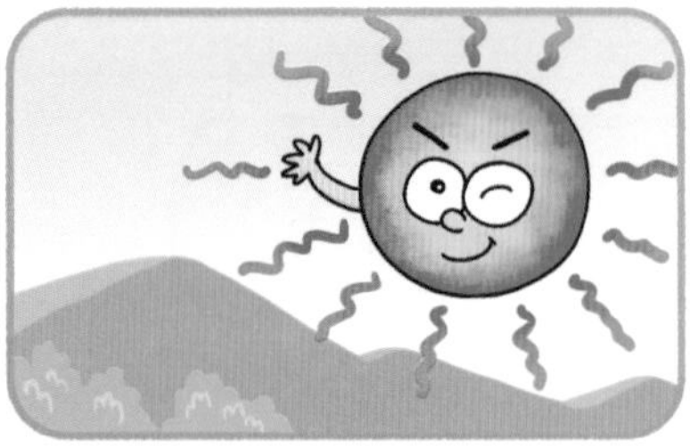

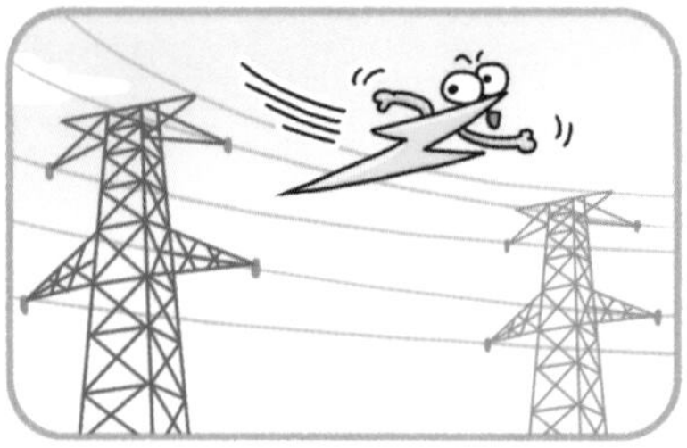

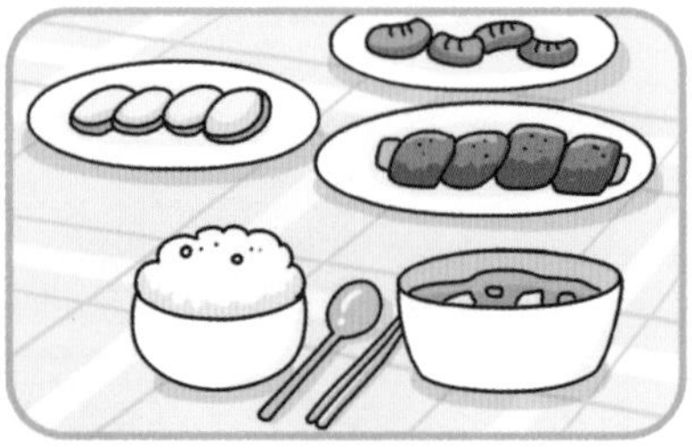

우뇌
구별

변신! 재활용 쓰레기

쓰레기를 넣으면 그것을 재료로 다른 물건을 만드는 마법의 쓰레기통이 있어
요. 깨진 유리를 마법의 쓰레기통에 넣으면 만들어질 물건을 찾아 ○ 해요.

| 사탕 | 유리병 | 바퀴 | 동화책 |

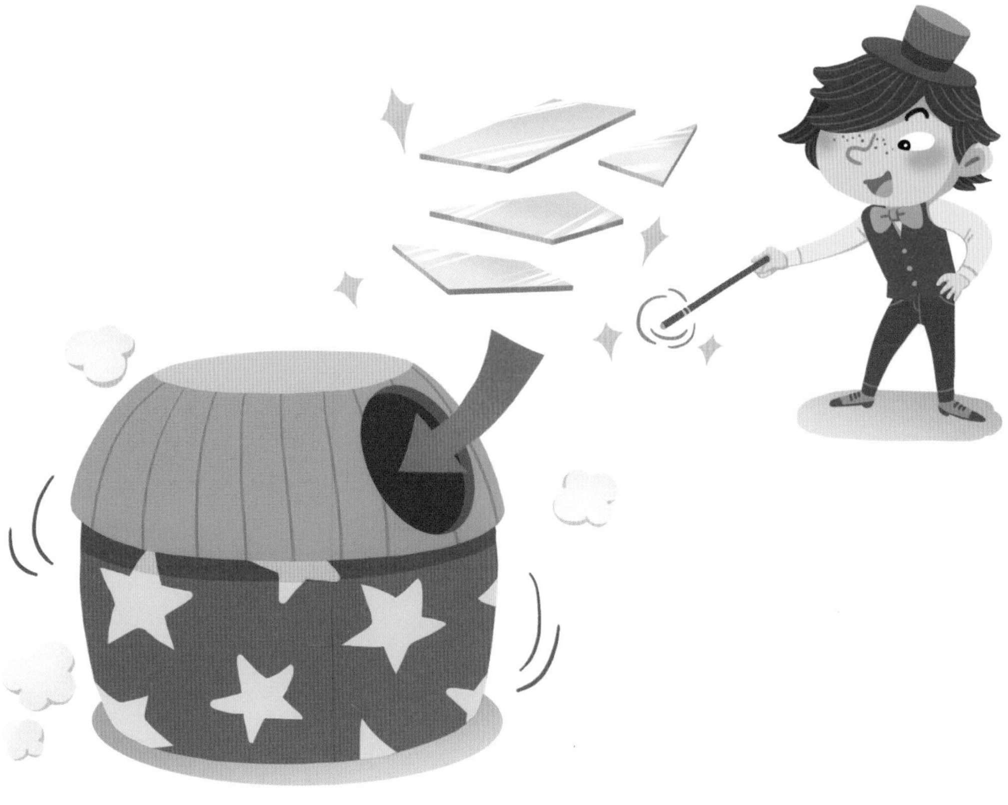

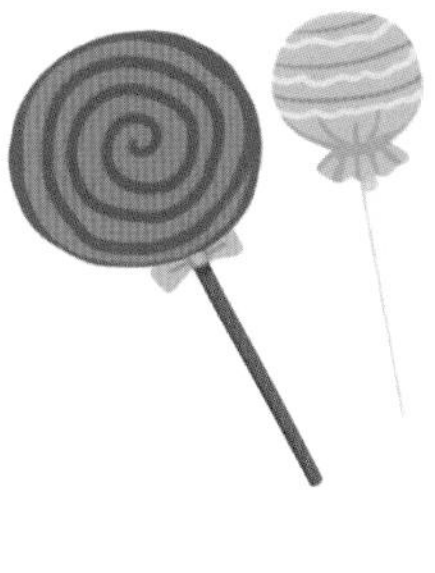

호기심 팡팡 마법의 쓰레기통에 종이를 넣으면 어떤 물건이 만들어질까?

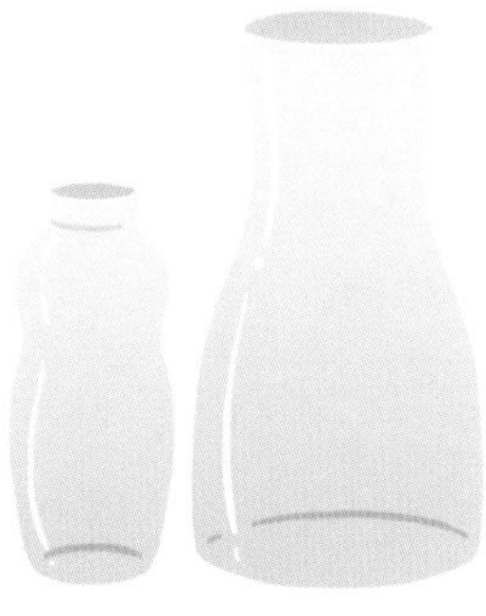

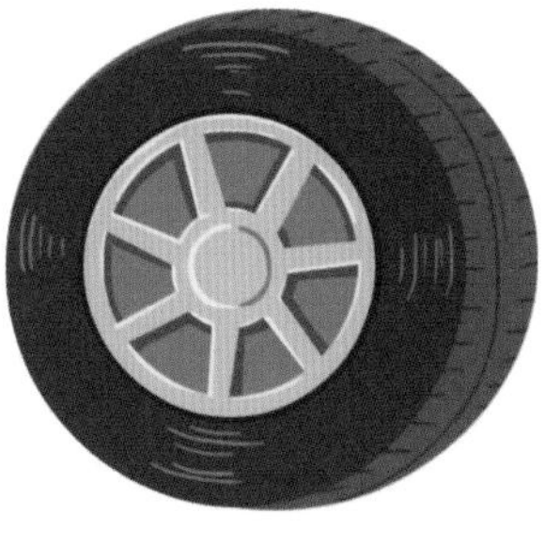

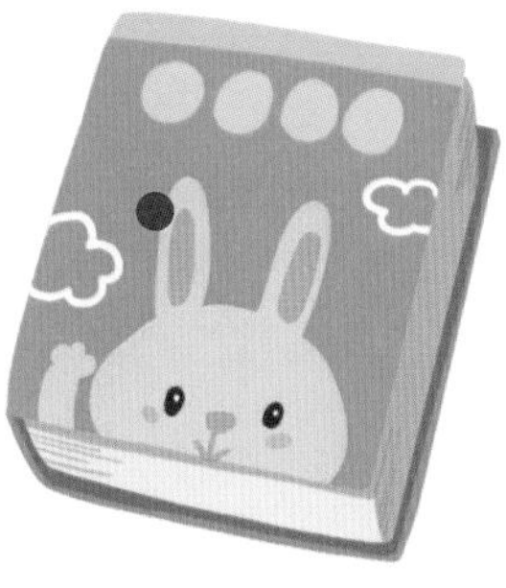

드론과 로봇

드론을 날려 볼까?

드론 박사님이 드론 운전법을 알려 주고 계세요.

첫 임무는 드론을 위로 올려서 왼쪽 앞으로 나아가게 하는 것이에요.

임무를 수행하려면 키를 어떻게 조정해야 하는지 화살표로 나타내요.

드론 운전법을 소개할게요.

위쪽
왼쪽 회전   오른쪽 회전
아래쪽

앞으로
왼쪽 앞으로   오른쪽 앞으로
뒤로

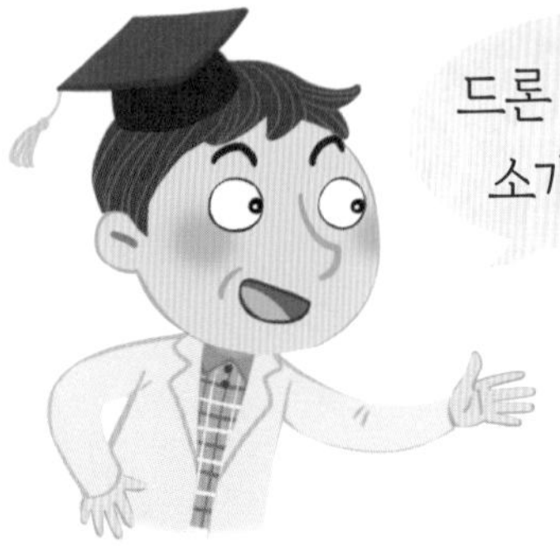

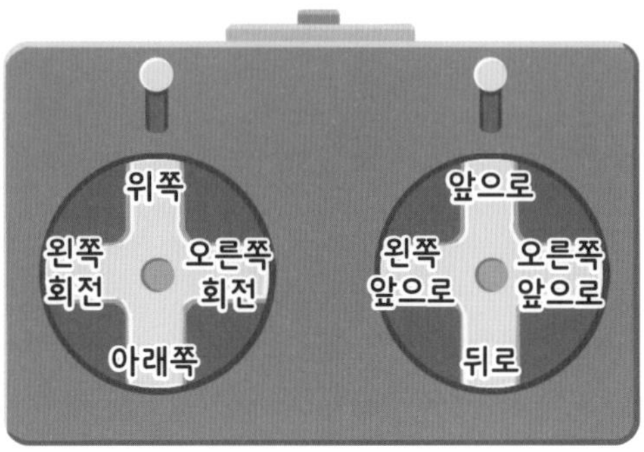

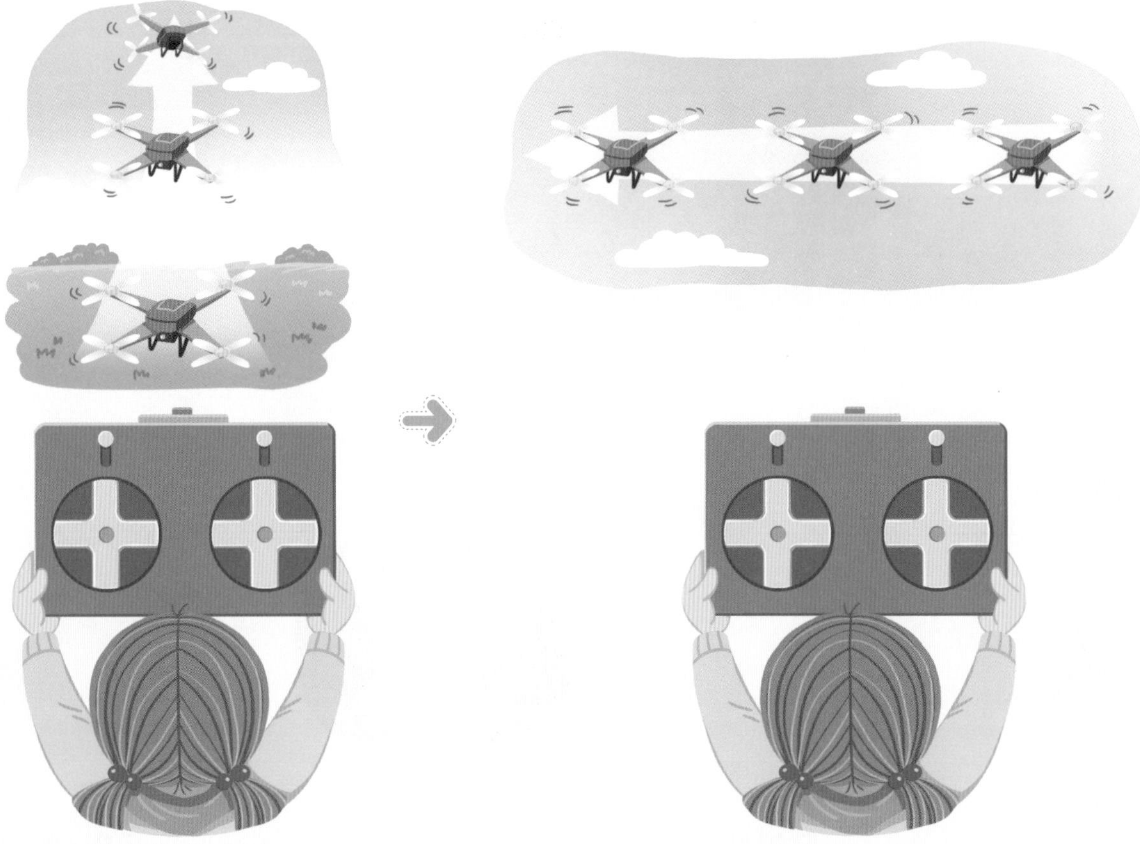

학부모 가이드) 드론을 움직여 보면서 간단한 운전법을 익히고, 응용력도 기를 수 있어요.

우뇌
규칙

택배를 부탁해!

택배를 배달해 주는 택배 로봇이 있어요.
택배 로봇은 다음과 같은 규칙으로 움직여요.
아래의 번호를 순서대로 눌렀을 때 택배 로봇이 도착하는 곳에 ◯ 해요.

규칙
• 1을 누르면 앞으로 한 칸 이동해요.
• 2를 누르면 오른쪽으로 두 칸 이동해요.
• 3을 누르면 왼쪽으로 한 칸 이동해요.

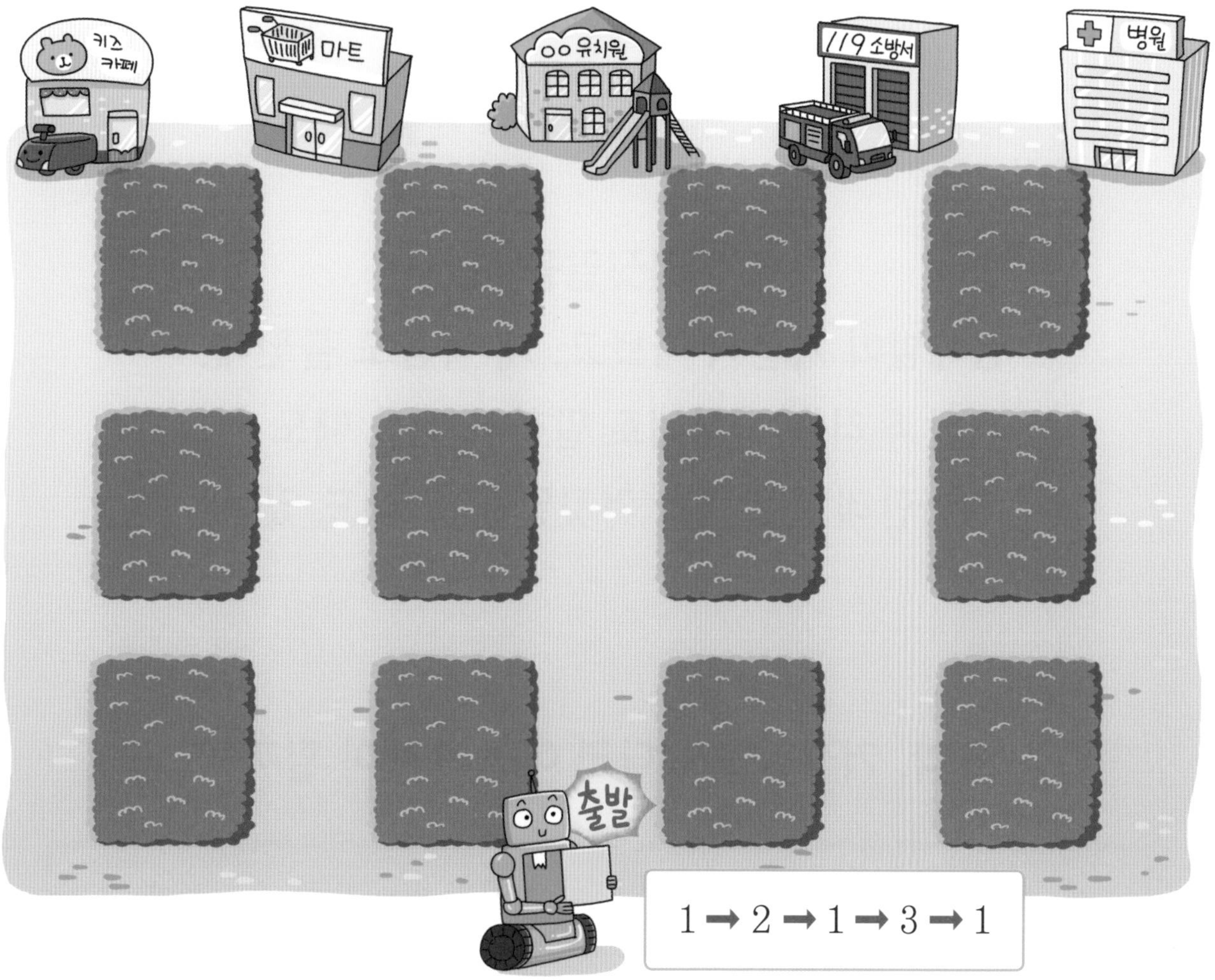

1 ➡ 2 ➡ 1 ➡ 3 ➡ 1

호기심 팡팡 너는 어떤 로봇이 필요하니?

거짓말은 안 돼요

내가 거짓말을 하면
상대방이 기분이 나쁘고, 내 마음도 불편해.
하지만 우리는 사실대로 말하기 싫을 때도 있고,
엄마한테 혼날까봐 거짓말을 할 때도 있어.

만약, 거짓말을 했다면 어떻게 해야 할까?

거짓말을 했다는 것을 들키지 않게 새로운 거짓말을 해.	거짓말한 이유를 솔직하게 말하고, 다음부터는 거짓말을 하면 안 돼.

9주

1일 우리 몸 밖
좌뇌 우뇌
상식 | 구별

2일 우리 몸속
좌뇌 우뇌
상식 | 구별

3일 몸의 감각
좌뇌 우뇌
언어 | 구별

4일 돈
좌뇌 우뇌
수리 | 모양

5일 암호
좌뇌 우뇌
비교 | 규칙

좌뇌
상식

나의 겉모습은?

뼈는 우리 몸을 지탱하면서 몸속에 있는 여러 기관을 보호해 줘요.
가려진 부분에 알맞은 겉모습을 찾아 번호를 써요.

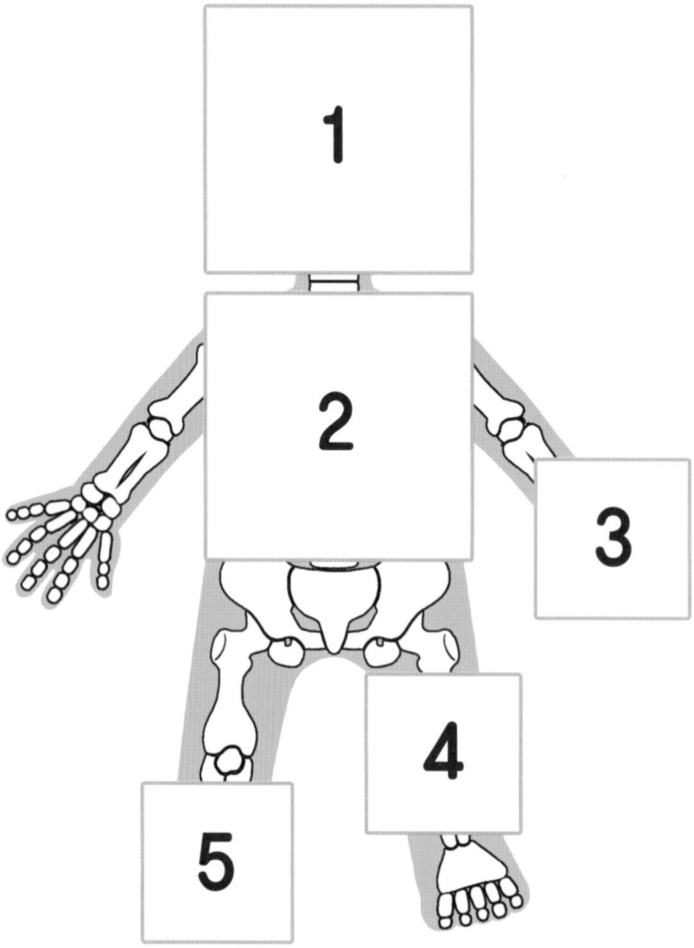

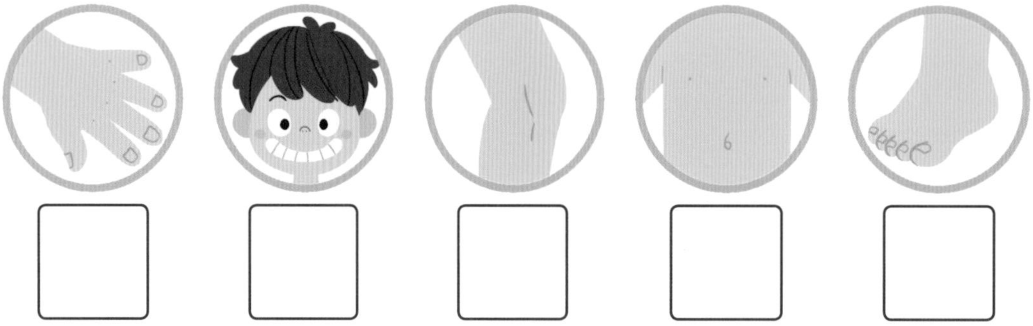

학부모 가이드 가려진 부분의 겉모습을 알아보면서 몸의 부분과 관련된 기초 상식을 넓힐 수 있어요.

우뇌
구별

무엇이 보이니?

엄청 크게 보이는 요술 돋보기로 우리 몸의 어떤 곳을 관찰한 모습이에요.
우리 몸 중 알맞은 부분을 찾아 ◯ 해요.

눈동자   손등   입술

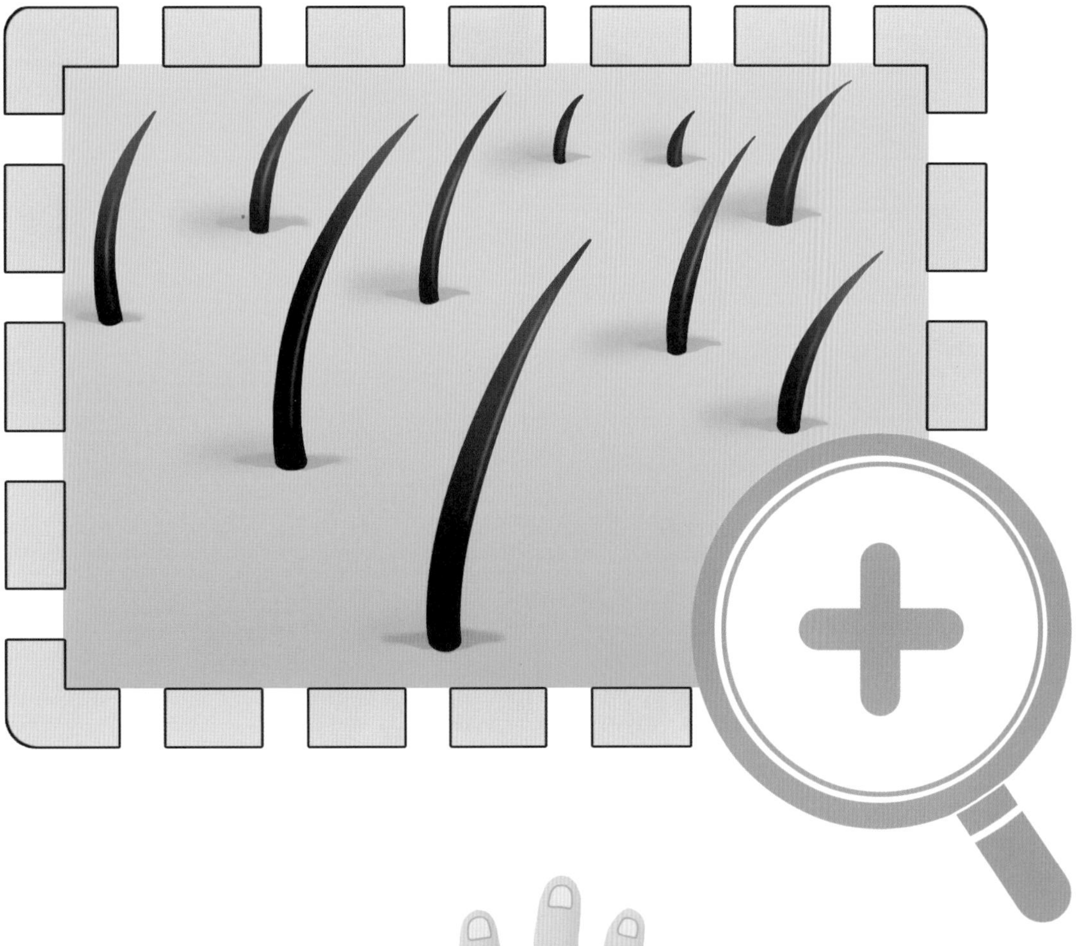

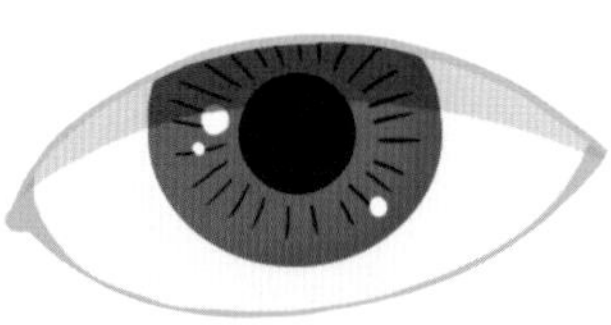

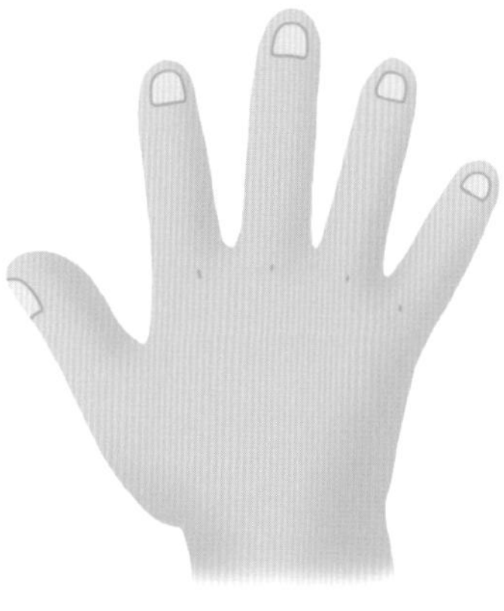

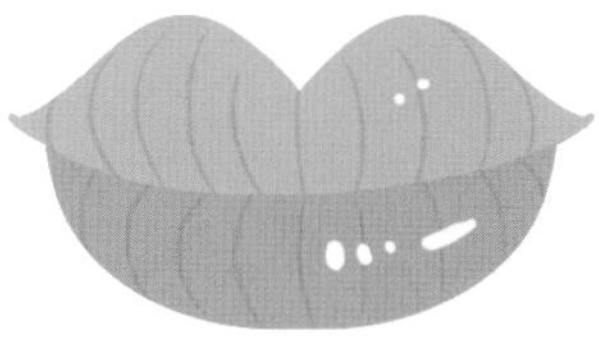

몸속에는 무엇이 있을까?

우리 몸속에는 눈에는 안 보이지만 중요한 역할을 하는 것들이 있어요.
몸속에 있는 것들을 모두 골라 ○ 해요.

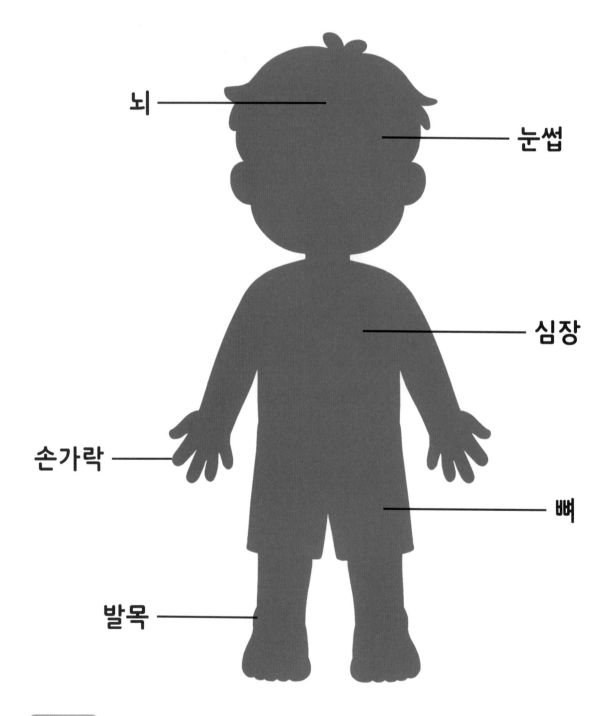

학부모 가이드 숨을 쉬고, 생각하고, 감각을 느끼는 몸속의 기관들을 알아보면서 과학 상식을 넓힐 수 있어요.

몸속 여행을 떠나자!

우리가 먹은 음식이 소화되는 과정을 나타낸 것이에요.
알맞은 소화 기관의 이름을 오른쪽에서 찾아 써요.

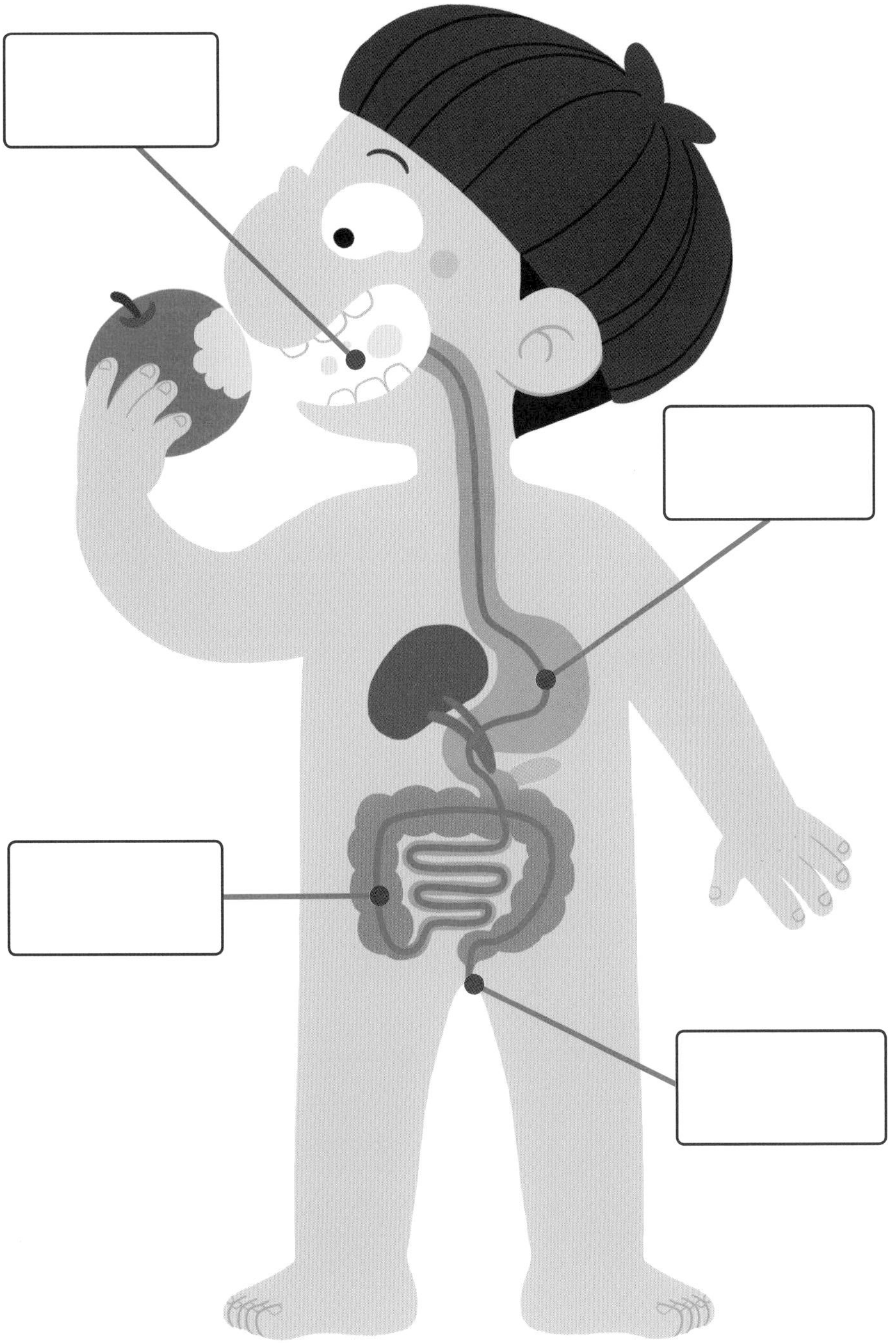

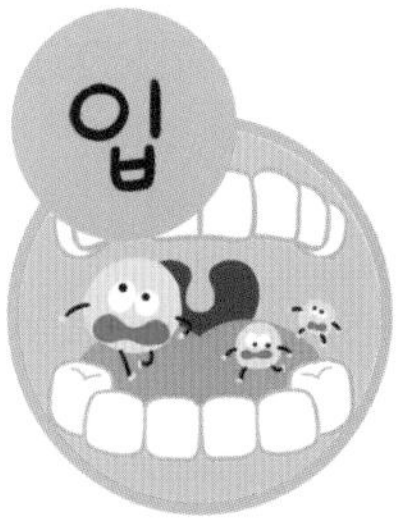

입

잘게 부숴요.

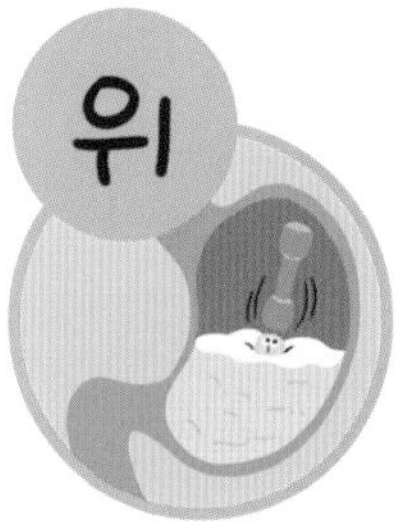

위

죽처럼 녹여요.

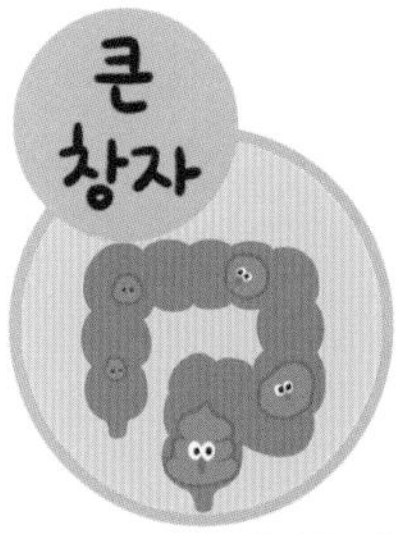

큰 창자

똥으로 만들어요.

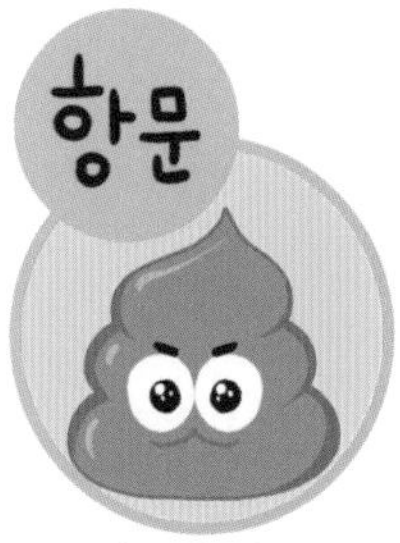

항문

똥이 나와요.

호기심 팡팡 우리가 먹은 음식은 모두 똥이 될까?

몸의 감각

좌뇌
언어

음식이 맛있는 이유는?

음식의 맛은 혀뿐만 아니라 음식의 모양, 냄새, 소리로도 느낄 수 있어요.
다음과 같이 빵으로 느낄 수 있는 감각을 보고,
알맞은 몸의 부분을 아래 보기에서 찾아 빈칸에 써요.

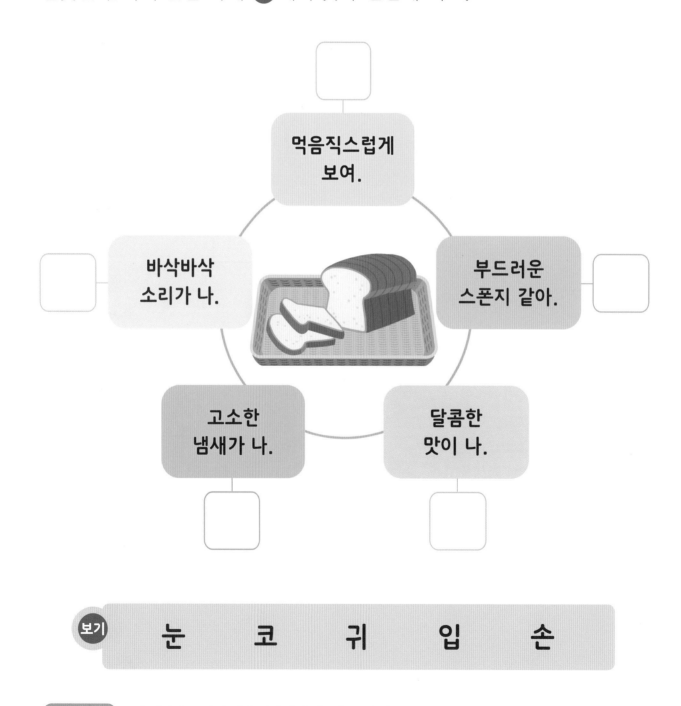

보기   눈   코   귀   입   손

학부모 가이드) 몸의 부분과 오감에 대한 직관적인 접근을 통해 언어 감각을 키울 수 있어요.

너의 몸을 느껴 봐!

우리 몸은 서로 다른 다섯 가지 감각을 느낄 수 있어요.
다음과 같은 감각을 느낄 수 있는 몸의 부분을 찾아 선으로 이어요.

호기심 팡팡 발로도 감각을 느낄 수 있을까?

돈

어떤 장난감을 살 수 있을까?

윤서는 지갑에 들어 있는 돈으로 장난감 1개를 사려고 해요.

윤서가 살 수 있는 장난감을 모두 찾아 ○ 해요.

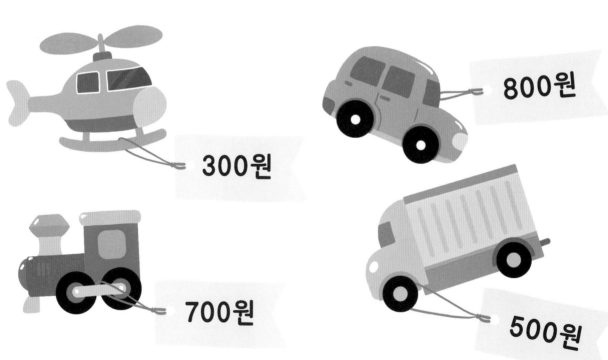

학부모 가이드 간단한 돈 계산하는 방법을 통해 덧셈과 뺄셈의 개념을 익힐 수 있어요.

우뇌
모양

그림자의 주인공을 찾아라!

돈에는 우리나라를 대표하는 훌륭한 분들의 얼굴이 그려져 있어요.
그림자 부분에 들어갈 알맞은 사람을 찾아 선으로 이어요.

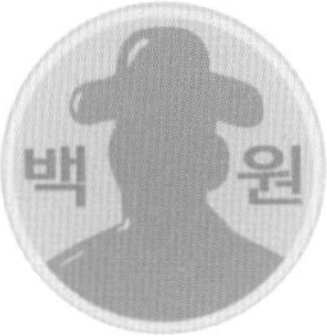

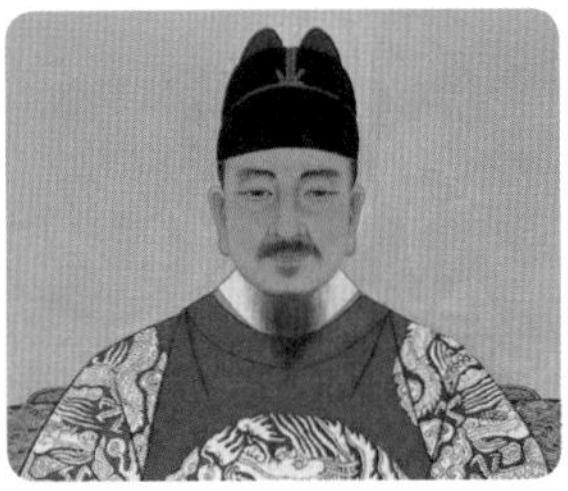

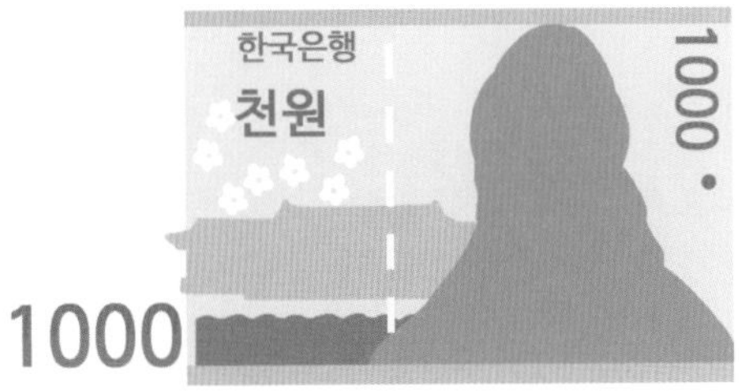

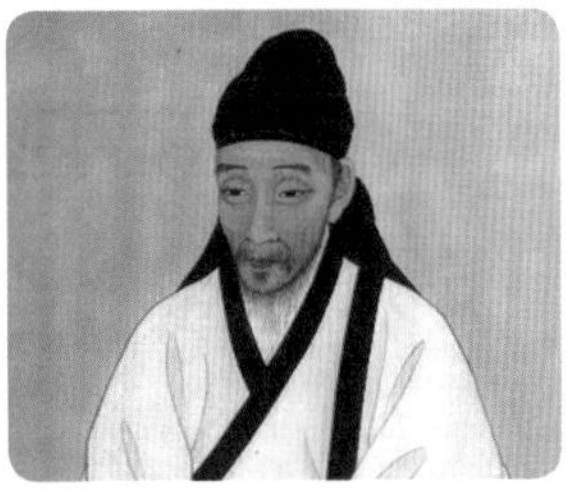

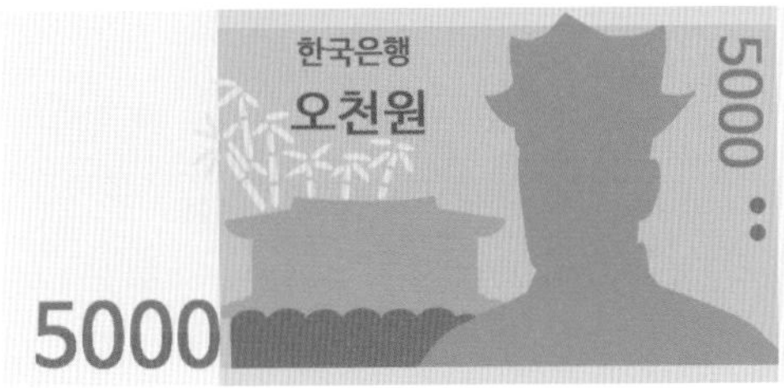

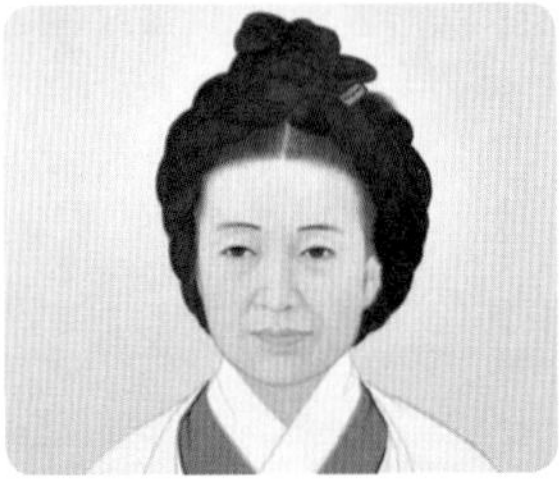

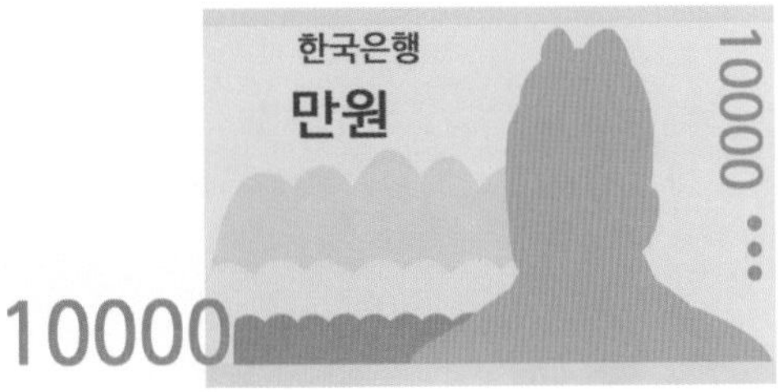

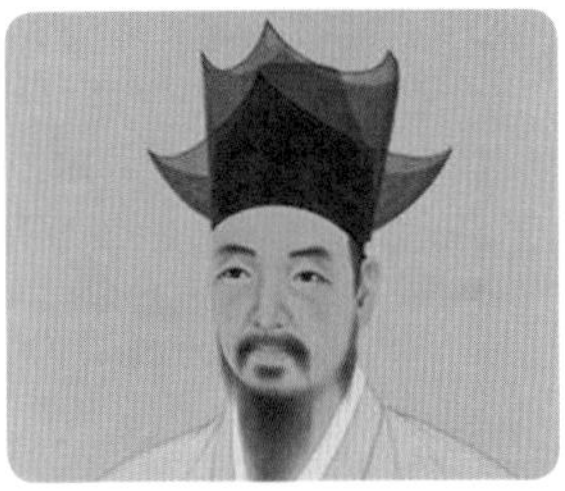

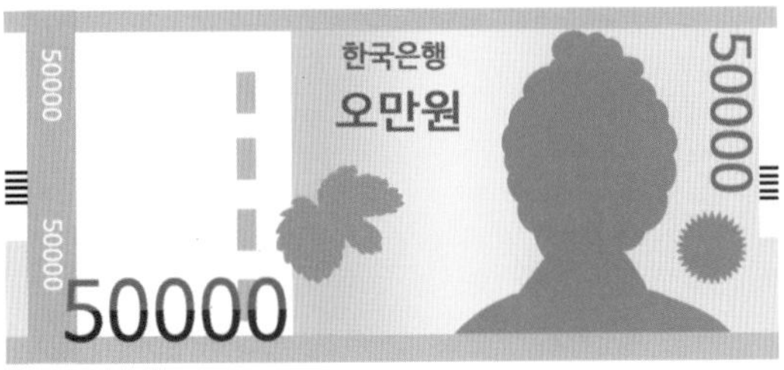

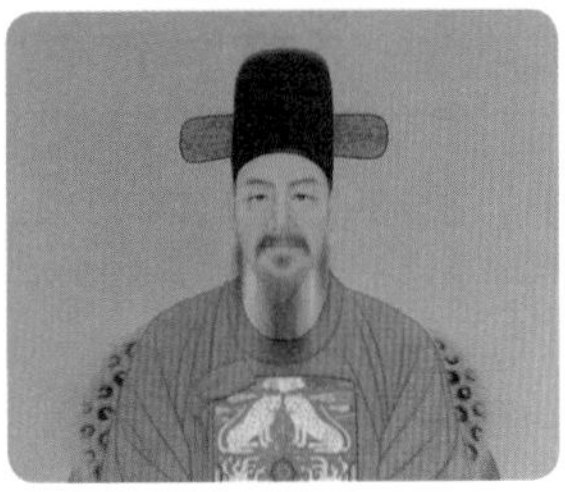

호기심 팡팡 만 원짜리 지폐에는 어떤 분이 그려져 있을까?

5일 암호

거울에 비친 모양은?

하마네 가족들만 알 수 있도록 현관문 위에 비밀번호를 암호로 써 놨어요.
암호의 아래쪽에 거울을 비춰 보면 비밀번호를 알 수 있대요.
하마네 집의 비밀번호를 찾아 ○ 해요.

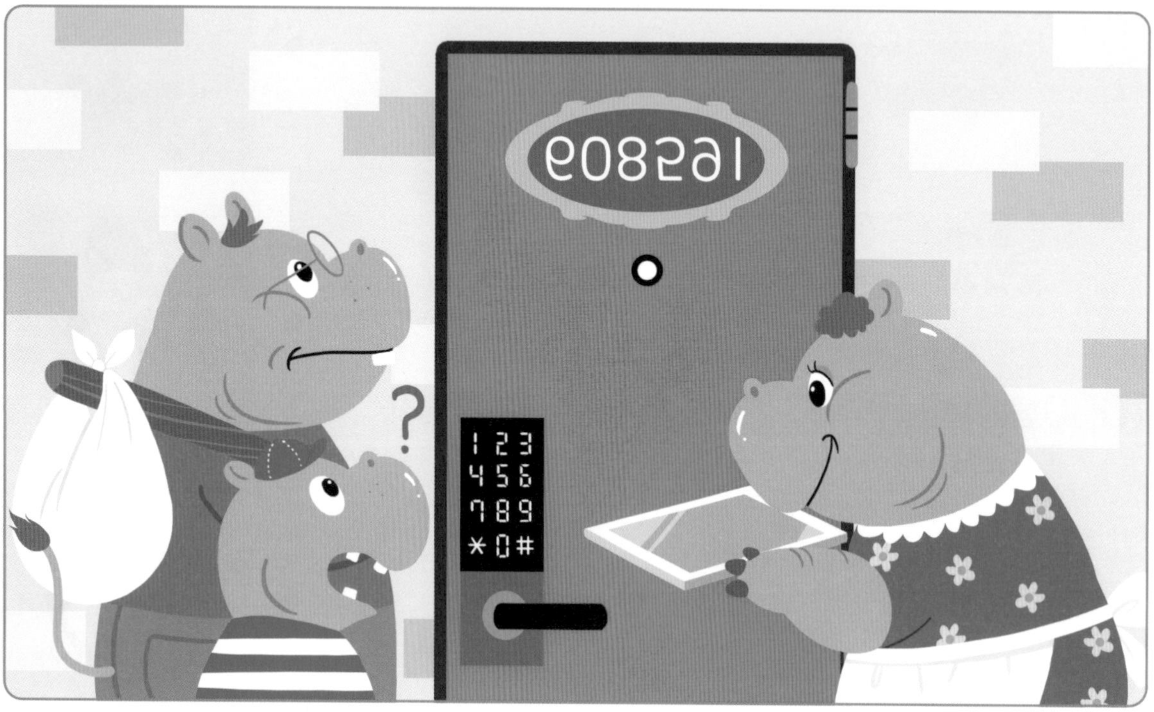

165809

608291

608591

908261

학부모 가이드 암호를 만들고 풀어 보면서 규칙성과 문제해결력을 기를 수 있어요.

암호를 풀어 봐!

은밀이는 친구에게 카드를 받았어요.

카드는 암호로 되어 있어서 무슨 내용인지 알 수가 없어요.

암호판을 이용하여 빈칸에 알맞은 글자를 써요.

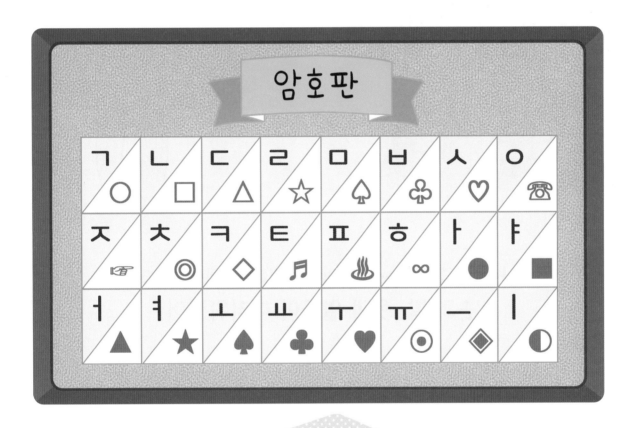

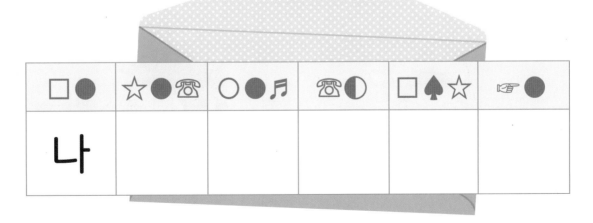

호기심 팡팡 암호판을 이용하여 친구에게 답장을 써 볼래?

몸을 깨끗이 씻어요

많이 더러워졌네.

나는 친구와 놀이터에서 재미있게 놀았더니
손과 발, 옷과 얼굴이 더러워졌어.

나는 집에 가면 가장 먼저 무엇을 해야 할까?

10주

소리 놀이

가자, 동물 농장으로!

유치원에서 동물 농장으로 체험 학습을 갔어요.
소리를 잘 듣고, 농장에 없는 동물을 찾아 X 해요.

1

젖소

고양이

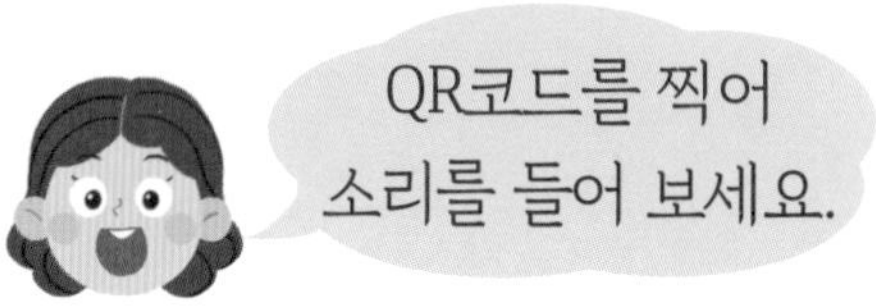

QR코드를 찍어
소리를 들어 보세요.

개

돼지

2

말

오리

QR코드를 찍어
소리를 들어 보세요.

양

닭

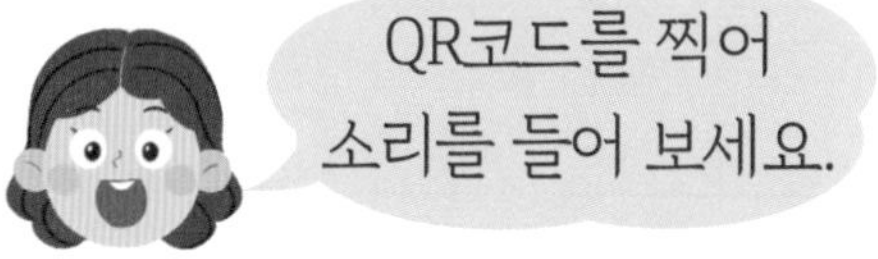

우뇌
통합

어떤 소리가 들릴까?

사진의 장소에서 들리는 소리를 찾으려고 해요.

소리를 잘 듣고, 알맞은 번호에 ○ 해요.

QR코드를 찍어
소리를 들어 보세요.

QR코드를 찍어
소리를 들어 보세요.

호기심 팡팡 지금 눈을 감으면 어떤 소리가 들릴까?

2일 면봉 놀이

어떤 순서로 쌓은 걸까?

좌뇌

통합

면봉을 하나씩 순서대로 쌓았어요.

맨 위에 있는 면봉부터 순서대로 숫자를 써요.

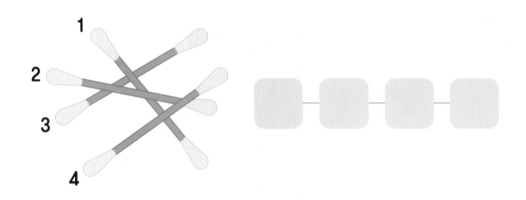

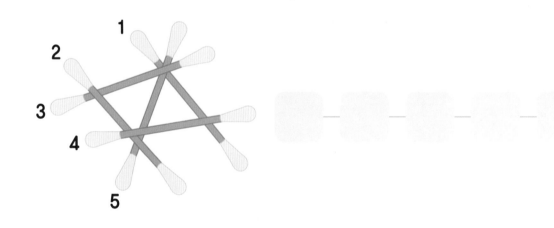

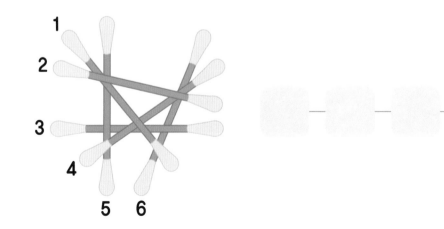

학부모 가이드) 면봉이 놓여 있는 모양을 관찰해 보는 활동을 통해 공간 지각력을 기를 수 있어요.

세모, 네모 모양을 만들어 봐!

면봉 4개를 빼서 왼쪽과 같은 모양 5개가 남도록 하려고 해요.
빼내야 하는 면봉에 ✕ 해요.

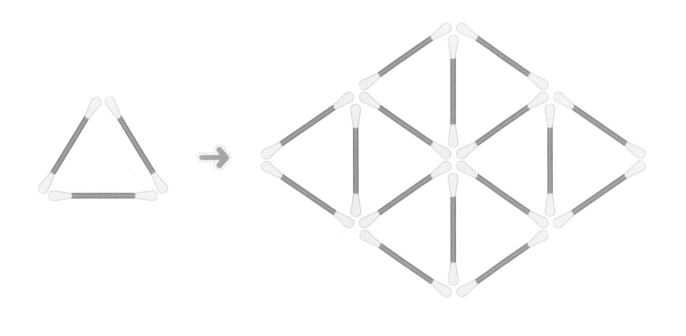

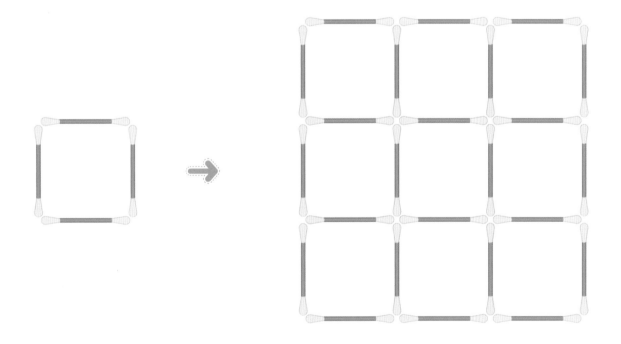

숫자 놀이

같은 숫자가 있으면 안 돼!

가로, 세로뿐만 아니라 4칸으로 나누어진 빨간색 사각형 안으로도
1, 2, 3, 4가 각각 하나씩 모두 들어 있어야 해요.
빈칸에 알맞은 숫자를 써요.

1		3	2
2	3		4
4	1		3
	2	4	1

	2	3	
3			2
		1	4
1	4		

학부모 가이드 숫자를 이용한 놀이를 통해 두뇌 발달뿐만 아니라 논리적 사고력을 기를 수 있어요.

세 수의 합이 같으려면?

거북 등에 그려진 모양에 1, 2, 3, 4, 5를 한 번씩 써넣어
같은 줄에 있는 세 수의 합이 모두 같게 만들려고 해요.
빈칸에 알맞은 숫자를 써요.

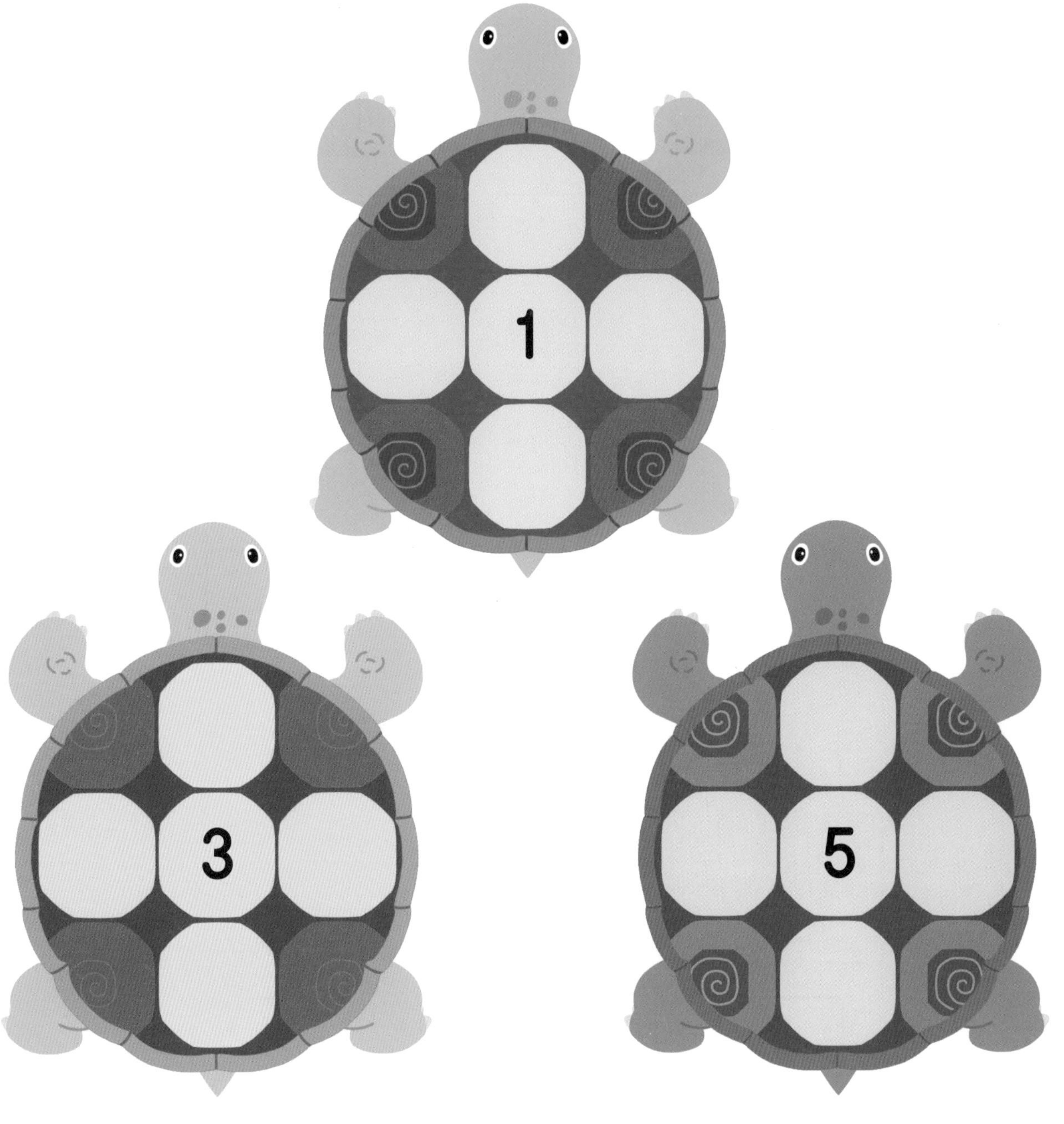

호기심 팡팡 네가 좋아하는 숫자 3개를 더하면 얼마니?

좌뇌

어떤 모양을 만들 수 있을까?

통합

2개의 블록으로 모양을 만들려고 해요.

만들 수 있는 모양이면 ◯, 만들 수 없는 모양이면 ✕ 해요.

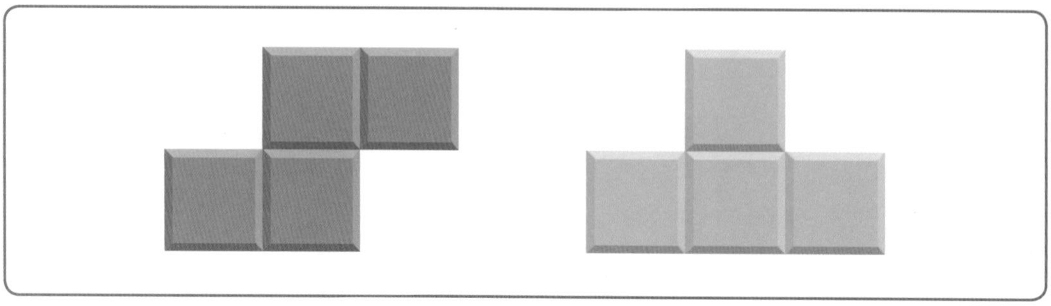

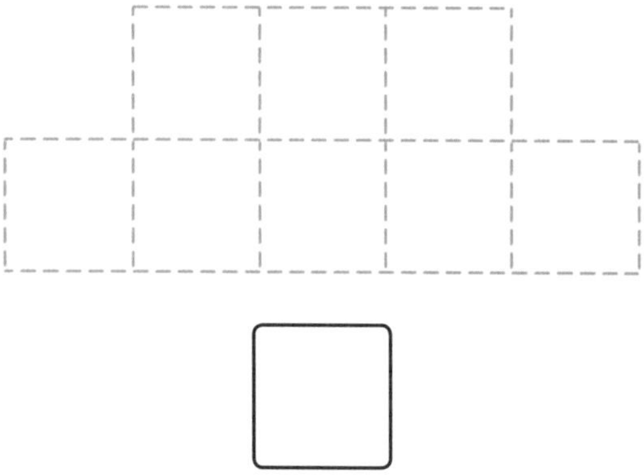

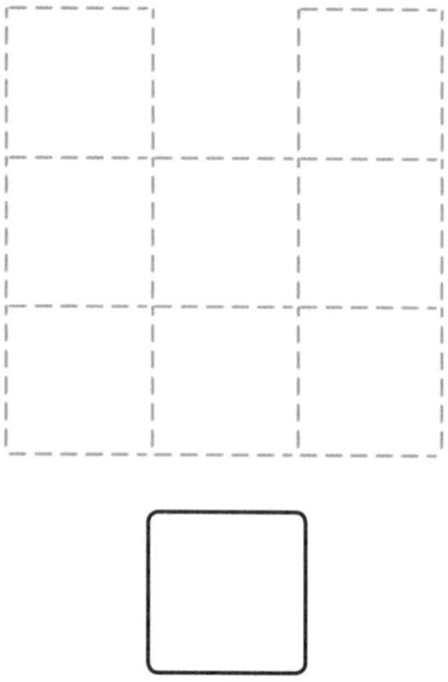

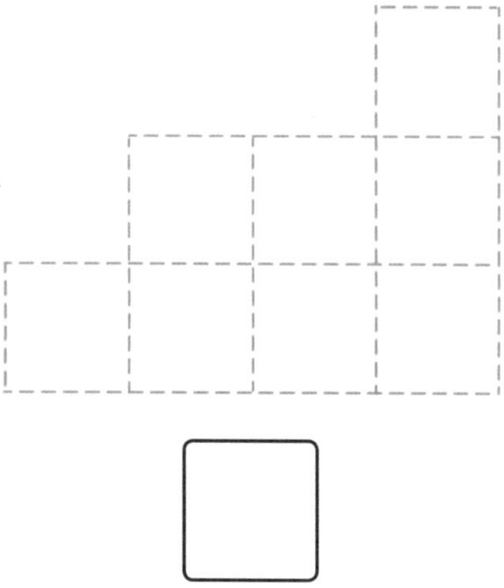

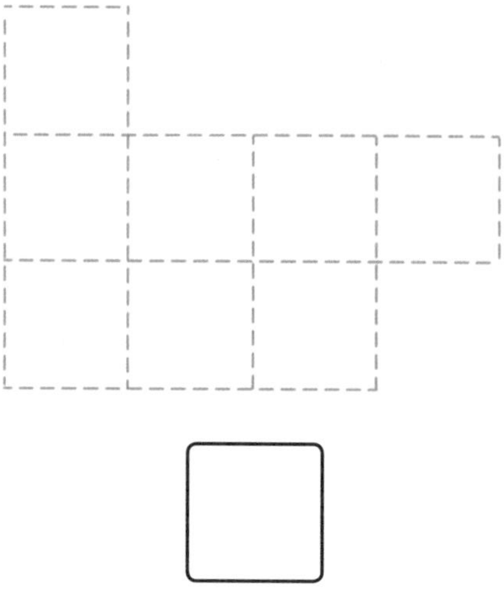

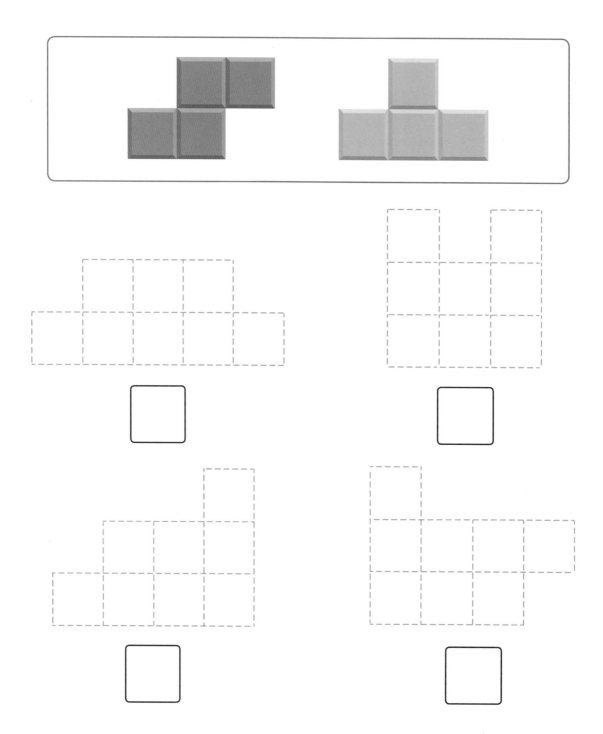

학부모 가이드 주어진 블록으로 다양한 모양을 만들어 보면서 공간 지각력을 기를 수 있어요.

뒤집거나 돌려서 맞춰 봐!

같은 블록을 여러 번 사용하여 네모 모양을 만들려고 해요.
네모 모양이 되도록 오른쪽에 선을 그어요.

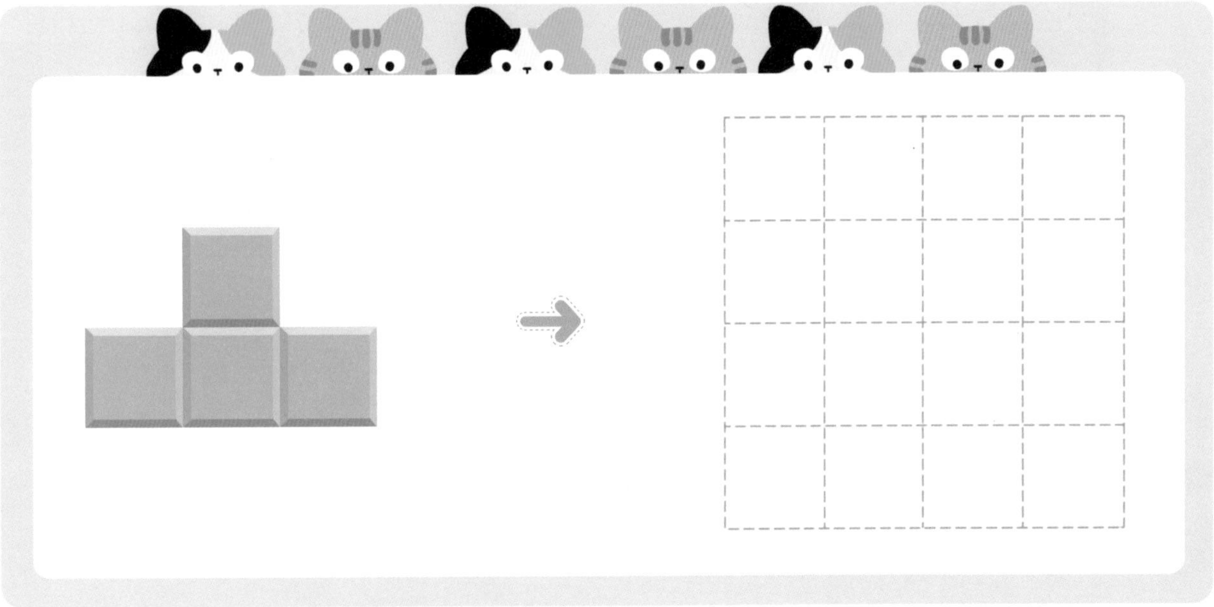

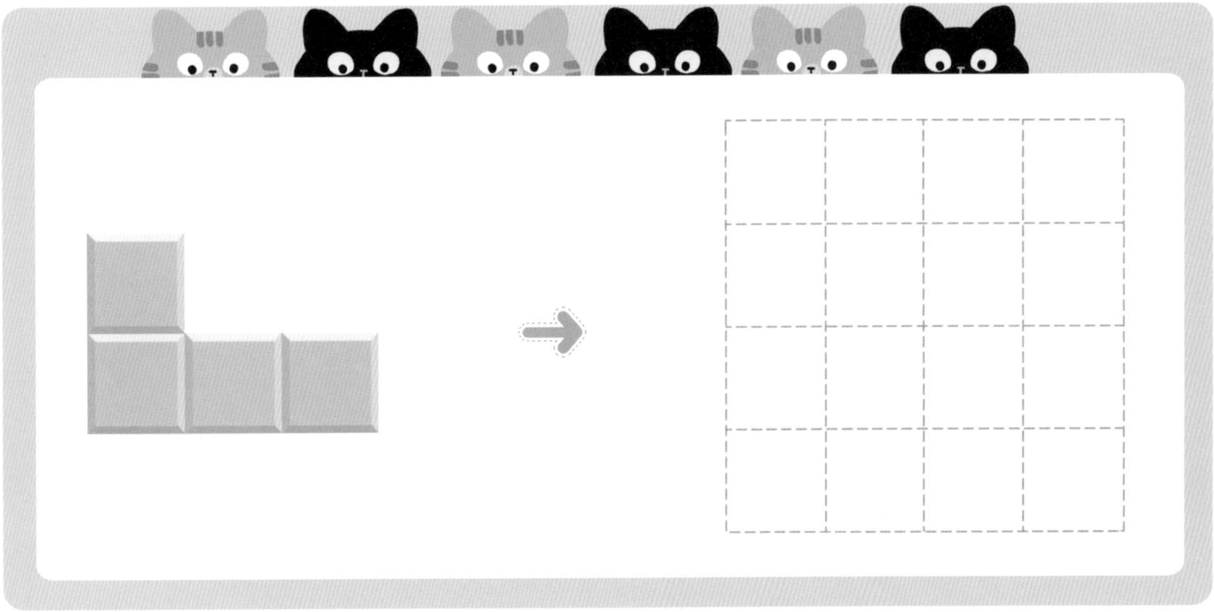

호기심 팡팡 다른 모양의 블록으로 네모 모양을 만들어 볼래?

5일 나누기 놀이

혼자 있고 싶어!

긴 막대 4개로 각각의 동물이 자신만의 공간을 갖도록 나누려고 해요.
어떻게 나누어야 할지 선을 그어요.

학부모 가이드 주어진 조건에 맞게 나누어 보는 활동을 통해 넓이의 개념을 직관적으로 익힐 수 있어요.

같은 모양으로 땅을 나누어 볼까?

땅을 주어진 모양과 같게 나누려고 해요.
각각의 집에 나무가 한 그루씩 있도록 선을 그어요.

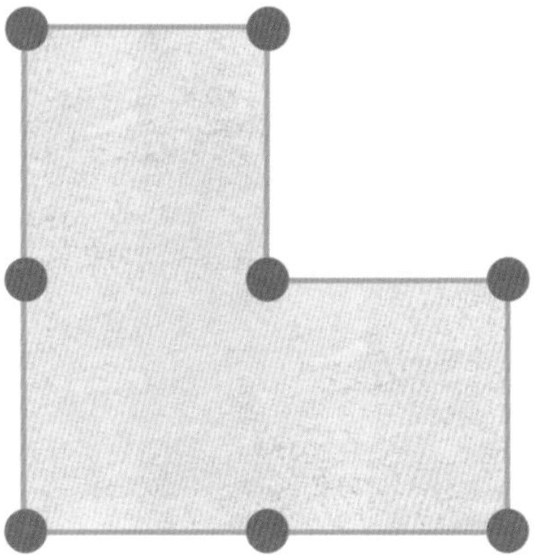

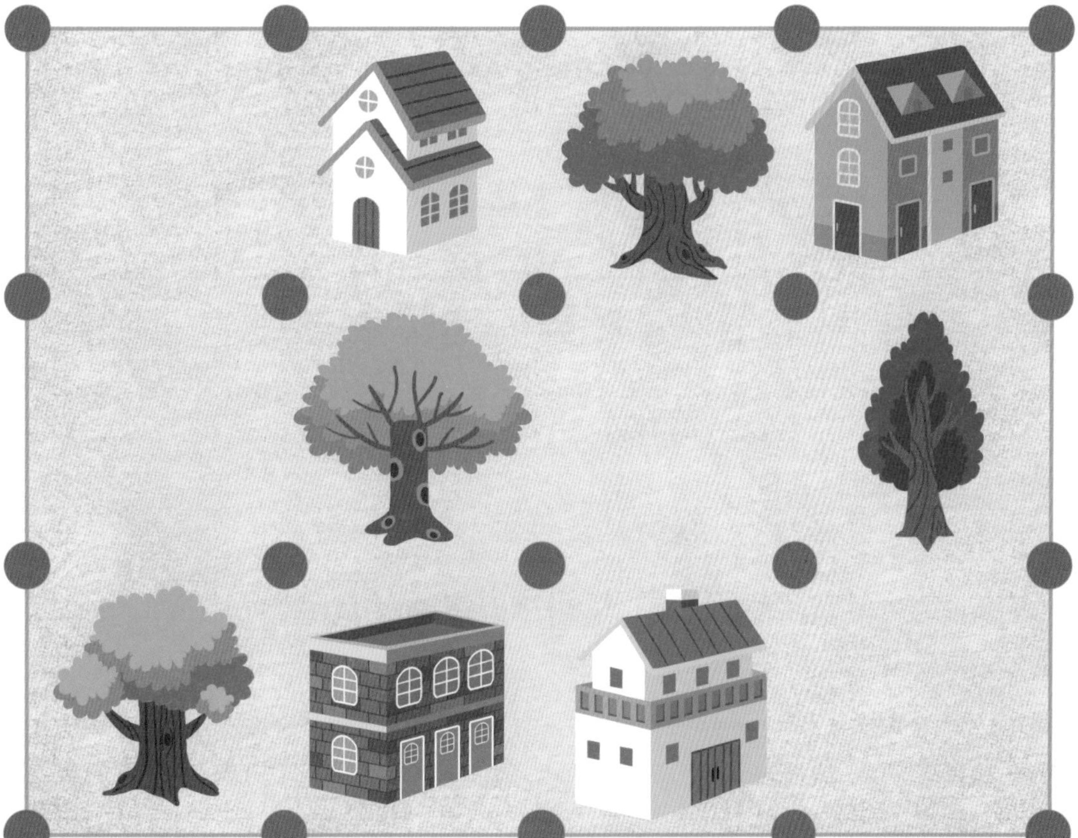

호기심 팡팡 우리 집 주변에는 어떤 나무들이 있을까?

친구와 사이좋게 지내요

나는 유치원이 끝나고 놀이터에 갔어.
민준이와 지아가 시소를 타고 있었지.
'나도 친구들과 함께 놀고 싶은데.'

나는 어떻게 해야 할까?

셋이 함께 놀 수 있는 방법을 생각해 보고, 친구들에게 의견을 말해 봐.	민준이와 지아가 시소를 타지 못하도록 방해해.

*8~9쪽

1일 동물

내 이름을 찾아 줘!

동물들의 이름이 사라졌어요.
□와 ○에는 동물의 이름이 한 글자씩 숨겨져 있어요.
그 글자를 합해 가장 아래에 있는 동물의 이름을 쓰세요.

개 나리　병 뚜껑
고 구 마　복숭 아
오 리　리 모컨
개구리　병아리

엄마는 어디에 있을까?

아기 동물들이 엄마를 잃어 버려서 찾아야 해요.
아기 동물과 엄마 동물은 닮은 부분이 있어요.
왼쪽 아기 동물들의 엄마를 오른쪽에서 찾아 선으로 이어요.

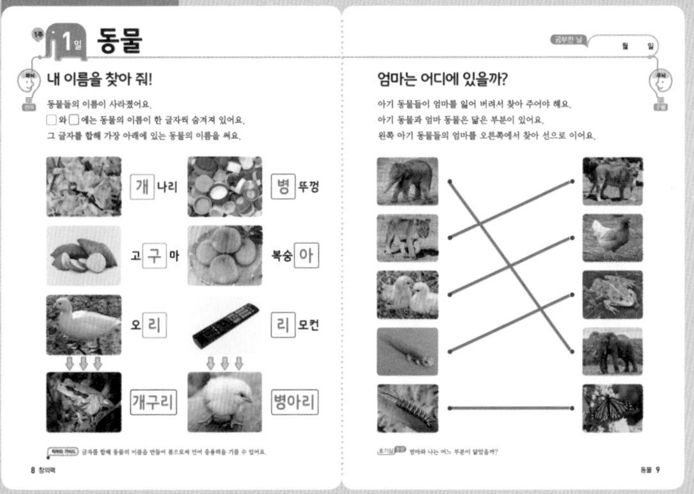

*10~11쪽

2일 공룡

키가 가장 큰 공룡은 누구일까?

아래 보기 에 공룡의 키를 재는 방법이 있어요.
보기 를 보고, 왼쪽 빨간 막대를 이용하여 공룡의 키를 재서 숫자로 써요.
그 다음, 키가 가장 큰 공룡을 찾아 ○ 해요.

보기 빨간 막대 1개의 길이는 2미터를 나타내요.

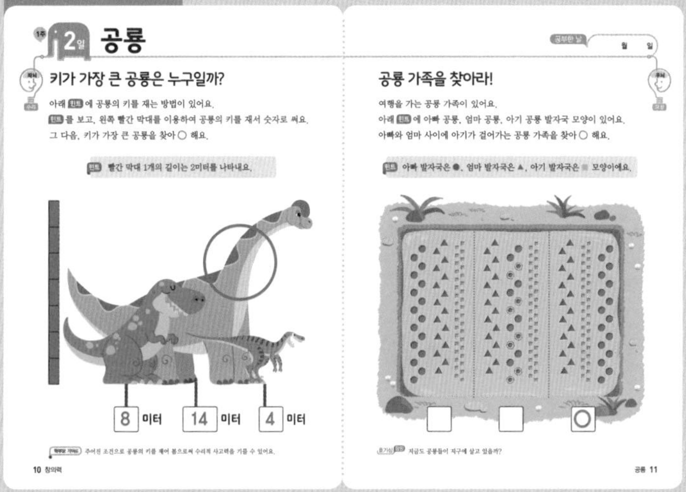

8 미터　14 미터　4 미터

공룡 가족을 찾아라!

여행을 가는 공룡 가족이 있어요.
아래 보기 에 아빠 공룡, 엄마 공룡, 아기 공룡 발자국 모양이 있어요.
아빠와 엄마 사이에 아기가 걸어가는 공룡 가족을 찾아 ○ 해요.

보기 아빠 발자국은 ●, 엄마 발자국은 ▲, 아기 발자국은 ■ 모양이에요.

*12~13쪽

3일 새

들어 봐, 나의 소리를!

새들이 울음소리를 내며 자기의 이름을 말하고 있어요.
울음소리를 잘 들으면 그 새의 이름이 들린답니다.
아래 새 울음소리를 잘 듣고, 알맞은 새의 이름을 찾아 ○ 해요.

1. 닭　뻐꾸기　갈매기
2. 오리　참새　까마귀

내 짝꿍은 누구일까?

엄마, 아빠와 같이 새들도 자기의 짝꿍이 있어요.
짝꿍은 서로 비슷하게 생겼답니다.
왼쪽 새의 짝꿍을 오른쪽에서 찾아 선으로 이어요.

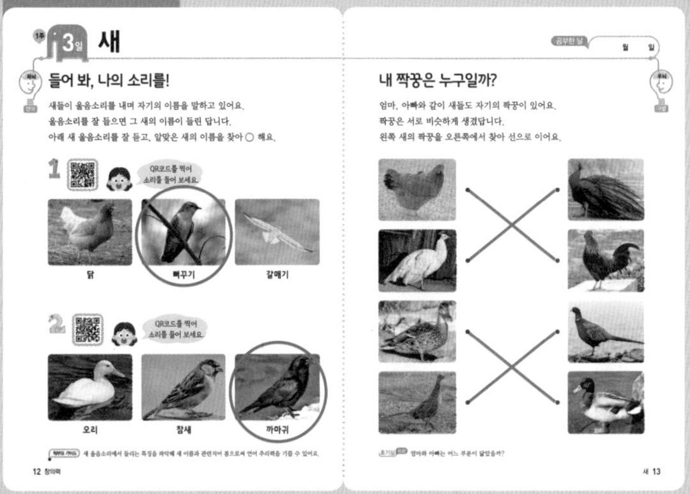

*14~15쪽

4일 곤충

나비의 탄생!

나비는 태어날 때부터 예쁜 모습은 아니에요.
태어나서 예쁜 나비가 될 때까지 모습이 계속 변해요.
아래 → 에서 시작하여 점을 이으면서 나비가 자라는 모습을 확인해요.

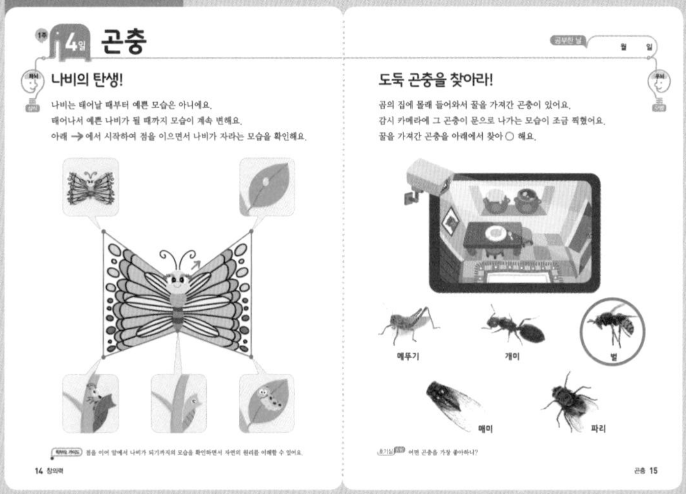

도둑 곤충을 찾아라!

곰의 집에 몰래 들어와서 꿀을 가져간 곤충이 있어요.
감시 카메라에 그 곤충이 꿀이 묻어서 나가는 모습이 조금 찍혔어요.
꿀을 가져간 곤충을 아래에서 찾아 ○ 해요.

메뚜기　개미　벌
매미　파리

*16~17쪽

5일 생물

누가 숨을 쉬고 있을까?

사람처럼 동물과 식물도 숨을 쉬어요.
이렇게 살아서 숨을 쉬는 것을 생물이라고 해요.
아래 그림에서 생물을 모두 찾아 ○ 해요.

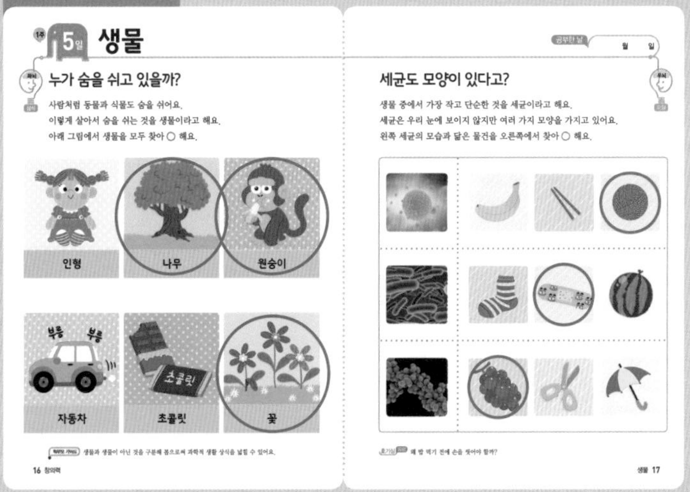

인형　나무　원숭이
자동차　초콜릿　꽃

세균도 모양이 있다고?

생물 중에서 가장 작고 단순한 것을 세균이라고 해요.
세균은 우리 눈에 보이지 않지만 여러 가지 모양을 가지고 있어요.
왼쪽 세균의 모습과 닮은 물건을 오른쪽에서 찾아 ○ 해요.

*18쪽

생명은 소중해요

사람의 생명이 소중한 것처럼,
동물과 식물의 생명도
하나하나 모두 소중해.

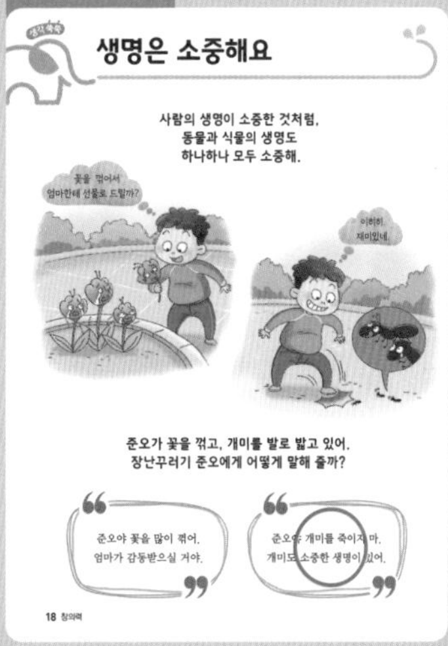

준오가 꽃을 꺾고, 개미를 발로 밟고 있어.
장난꾸러기 준오에게 어떻게 말해 줄까?

" 준오야 꽃을 많이 꺾어,
엄마가 감동받으실 거야. "

" 준오야 개미를 죽이지 마,
개미도 소중한 생명이란다. "

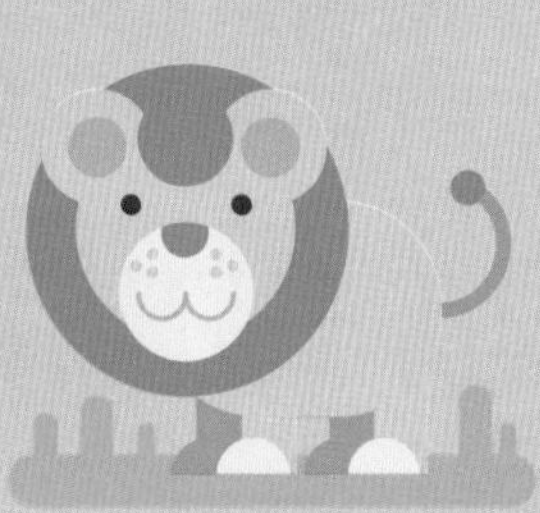

정답 **127**

2주

* 20~21쪽

1일 음악

랄랄라~ 노래를 부르자!

신나는 '도레미 송'이에요.
음악을 듣고 노래를 부르면서 '도, 레, 미, 파, 솔, 라, 시'로
시작하는 이름을 가진 그림을 골라 ○해요.

도레미 송

QR코드를 찍어
음악을 들어 보세요

음악을 들으며 상상해 봐!

음악은 마술사 같아요.
음악을 들으면 마치 그 장소에 있는 것 같은 기분이 들어요.
아래 음악을 들으면서 음악과 어울리는 모습을 찾아 ○해요.

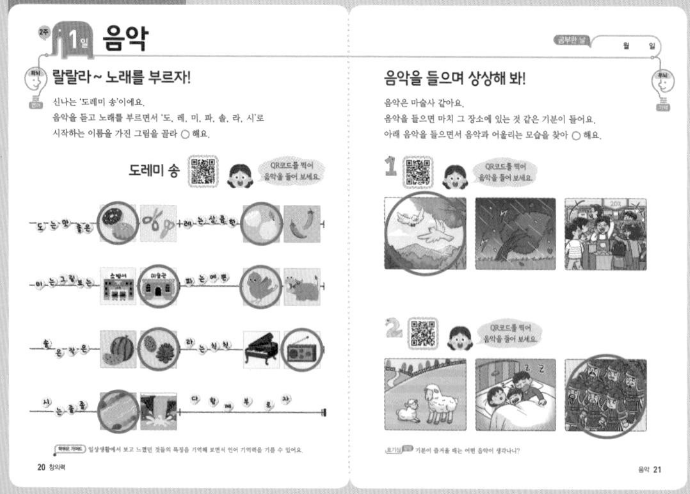

* 22~23쪽

2일 색깔

내 색깔을 찾아봐!

여러 가지 색깔의 상자가 있어요.
그 상자에 여러 가지 색깔 이름이 쓰여 있어요.
자기 이름과 같은 색깔이 칠해진 낱말을 모두 찾아 ○해요.

파랑	빨강	초록
주황	노랑	
분홍	하양	검정

어떤 색깔일까?

우리 주변은 모두 색깔이 칠해져 있어요.
왼쪽 이름표에 있는 것들은 자기만의 색깔이 있어요.
떠오르는 색깔의 물감을 오른쪽에서 찾아 선으로 이어요.

먹구름 · 초콜릿 · 토마토 · 바다 · 바나나 · 개구리 · 포도 · 복숭아

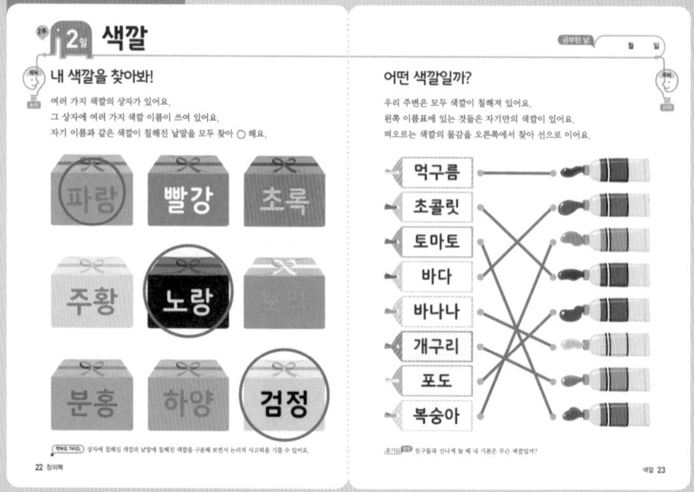

* 24~25쪽

3일 블록

어떤 이야기일까?

원숭이가 주인공인 4개의 그림이 있어요.
4개의 그림을 쭉 연결하면 하나의 이야기가 만들어지요.
이야기가 만들어지도록 순서를 찾아 1부터 차례대로 빈칸에 숫자를 써요.

3 · 1 · 4 · 2

보이는 모습이 전부일까?

땅에 있는 것을 하늘에서 보면 다른 모습이 보여요.
다음과 같이 놓은 블록을 위에서 보면 어떤 모습일까요?
알맞은 모습을 아래에서 찾아 ○해요.

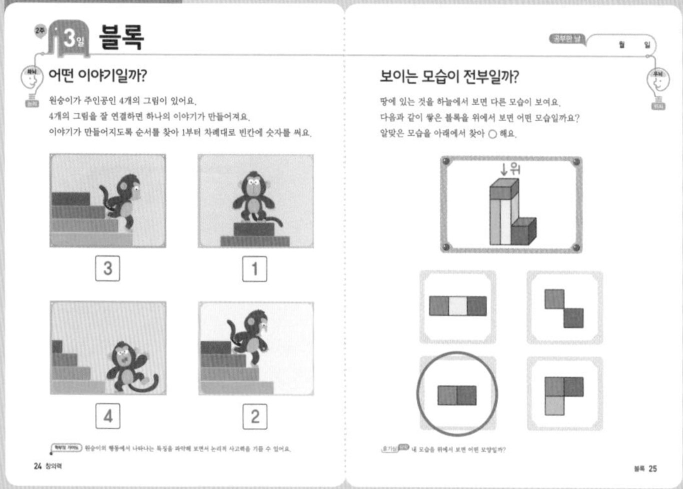

* 26~27쪽

4일 사진

누구냐, 넌?

교통 신호를 지키지 않고 운전한 사람이 감시 카메라에 찍혔어요.
그런데 비가 많이 와서 사진에 가려진 부분이 생겼어요.
사진을 잘 보고 운전한 사람을 아래에서 찾아 ○해요.

어떻게 보일까?

배를 타고 섬 구경을 했어요.
아래 사진은 각 숫자가 있는 자리에서 찍은 사진이에요.
사진을 찍은 자리를 찾아 □ 안에 숫자를 써요.

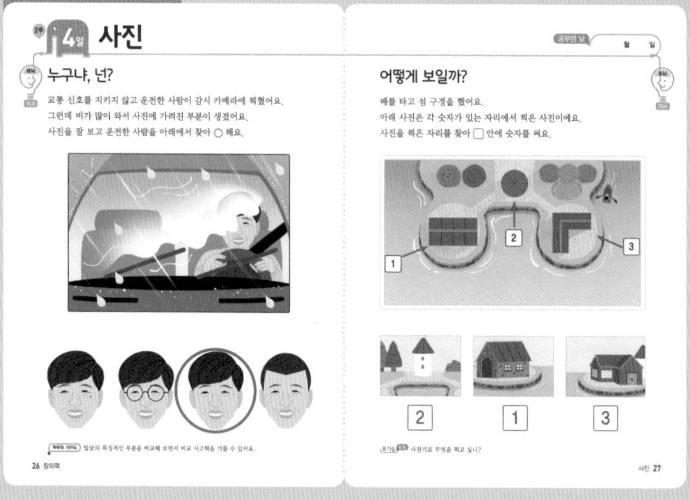

* 28~29쪽

5일 미술

그림을 찾아라!

다음 설명처럼 그려져 있는 그림이 있어요.
알맞은 그림을 아래에서 찾아 ○해요.

4명의 사람이 있어요.
2마리의 말이 있어요.
6개의 사과가 있어요.

나의 반쪽은?

다음과 같이 반쪽만 그려진 그림을 반으로 접었어요.
접은 종이를 펼쳤을 때 알맞게 그려진 그림을 아래에서 찾아 ○해요.

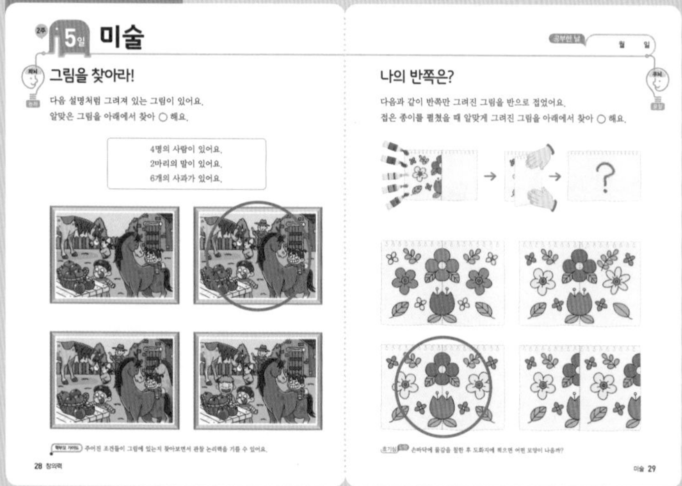

* 30쪽

물건을 소중히 다루어요

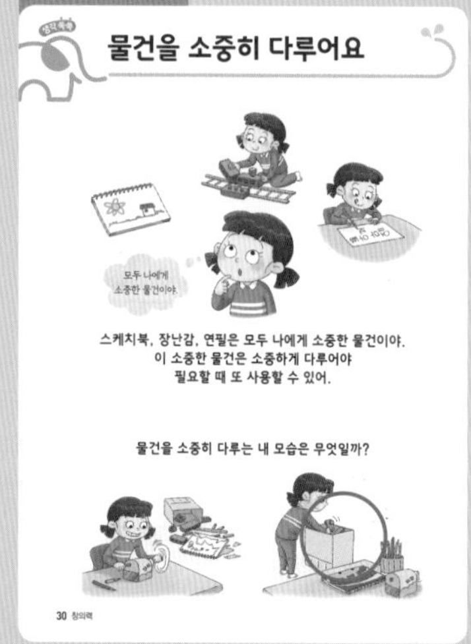

스케치북, 장난감, 연필은 모두 나에게 소중한 물건이야.
이 소중한 물건은 소중하게 다루어야
필요할 때 또 사용할 수 있어.

물건을 소중히 다루는 내 모습은 무엇일까?

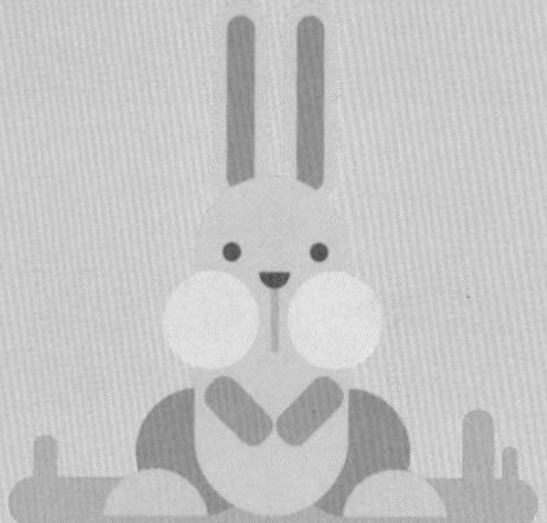

3주

*32~33쪽

1일 우주

우주에는 지구만 있을까?

우주에는 우리가 사는 지구 이외에도 여러 행성이 있어요.
행성들은 저마다 이름을 가지고 있어요.
다음 설명을 읽고, 행성의 이름을 아래 보기에서 찾아 빈칸에 써요.

- 수성은 태양 바로 옆에 있어요.
- 금성은 지구와 수성 사이에 있어요.
- 화성은 태양에서 가장 멀리 떨어져 있어요.

보기 **화성   수성   금성**

별자리를 보면 동물이 보여!

밤하늘에는 수많은 별이 떠 있어요.
별들이 모여 만들어진 별자리 중에는 동물과 닮은 모양이 있어요.
왼쪽 별자리와 모양이 닮은 동물을 오른쪽에서 찾아 ○ 해요.

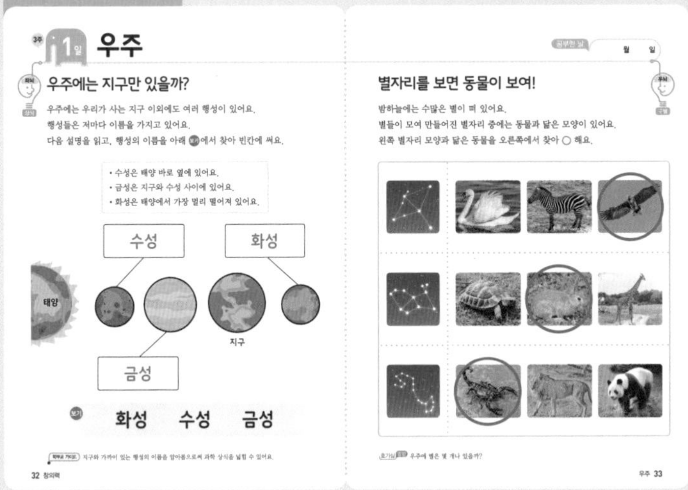
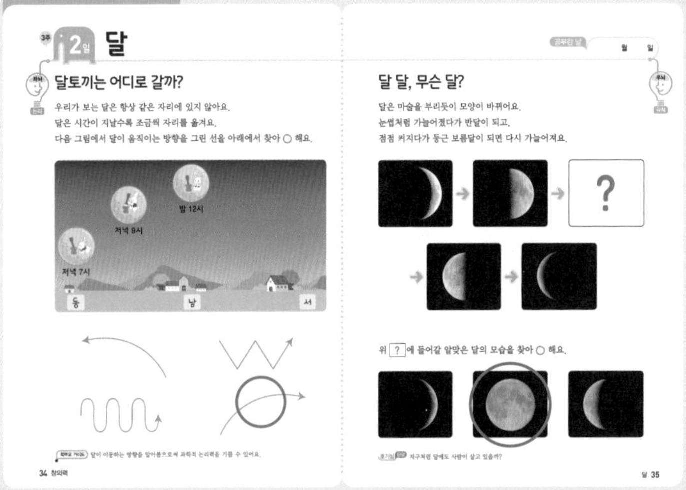

*34~35쪽

2일 달

달토끼는 어디로 갈까?

우리가 보는 달은 항상 같은 자리에 있지 않아요.
달은 시간이 지날수록 조금씩 자리를 옮겨요.
다음 그림에서 달이 움직이는 방향을 그린 선을 아래에서 찾아 ○ 해요.

달 달, 무슨 달?

달은 마술을 부리듯이 모양이 바뀌어요.
눈썹처럼 가늘어졌다가 반달이 되고,
점점 커지다가 둥근 보름달이 되면 다시 가늘어져요.

위 ? 에 들어갈 알맞은 달의 모습을 찾아 ○ 해요.

*36~37쪽

3일 그림자

해를 찾아 줘!

해와 그림자는 정말 친한 친구예요.
해가 있는 곳에는 언제나 그림자가 있답니다.
아래 보기를 읽고, 해가 있는 자리를 찾아 ○ 해요.

어디가 다를까?

코끼리와 과일이 그려진 그림이 있어요.
아래 4개의 그림자는 이 그림과 한 부분이 달라요.
4개의 그림자에서 다른 부분을 찾아 ○ 해요.

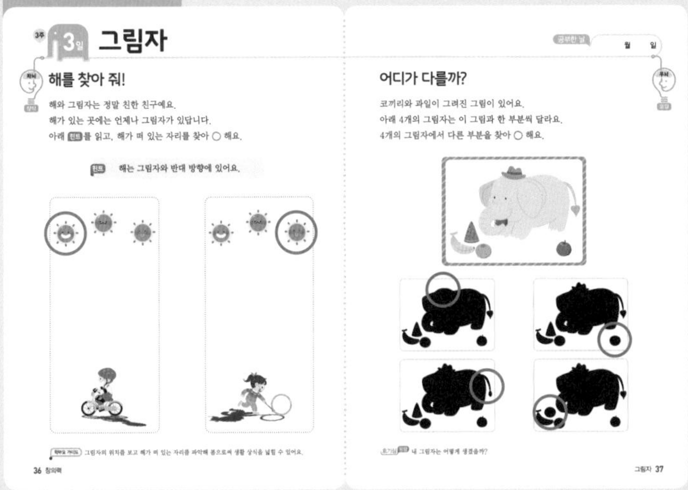

*38~39쪽

4일 바다

누가 더 넓을까?

우리가 사는 지구에는 땅과 바다 중 어느 것이 더 넓을까요?
보기를 읽고, 아래 세계 지도에서 ○와 △를 세어 보아요.
그 다음, 땅과 바다 중 더 넓은 것은 무엇인지 써요.

○는 **36** 개, △는 **14** 개이므로
땅과 바다 중 더 넓은 것은 **바다** 이다.

넌 왜 여기에 있니?

바닷속에서 동물들의 축제가 열렸어요.
그런데 바닷속에 살지 않는 동물들도 왔어요.
바닷속에 살지 않는 동물을 모두 찾아 ○ 해요.

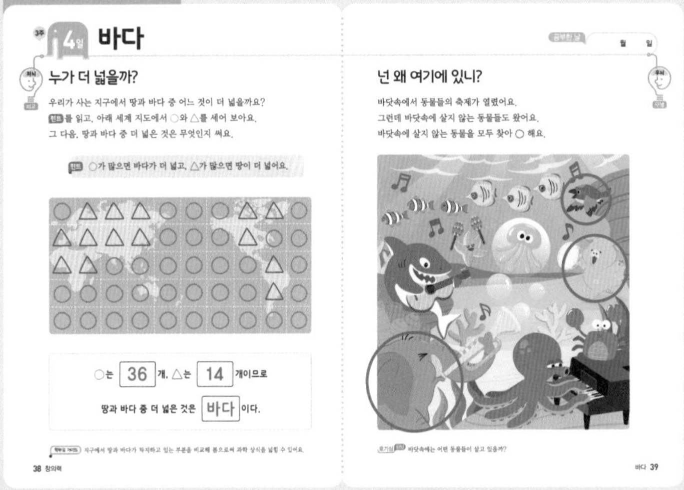

*40~41쪽

5일 지구

떠나자, 세계 여행!

우리나라에는 세계적으로 유명한 건물이 있어요.
세계 여러 나라에도 유명한 건물이 있답니다.
왼쪽 나라에 있는 유명한 건물을 오른쪽에서 찾아 선으로 이어요.

프랑스 — 자유의 여신상
중국 — 에펠탑
이집트 — 만리장성
미국 — 피라미드

땅덩어리를 찾아라!

지구에는 6개의 큰 땅덩어리가 있어요.
땅덩어리들은 저마다 이름을 가지고 있어요.
다음 사자가 설명하는 땅덩어리의 이름을 아래 지도에서 찾아 써요.

- 우리나라가 있어요.
- 땅덩어리가 가장 커요.
- 오른쪽 모양처럼 생겼어요.

아시아

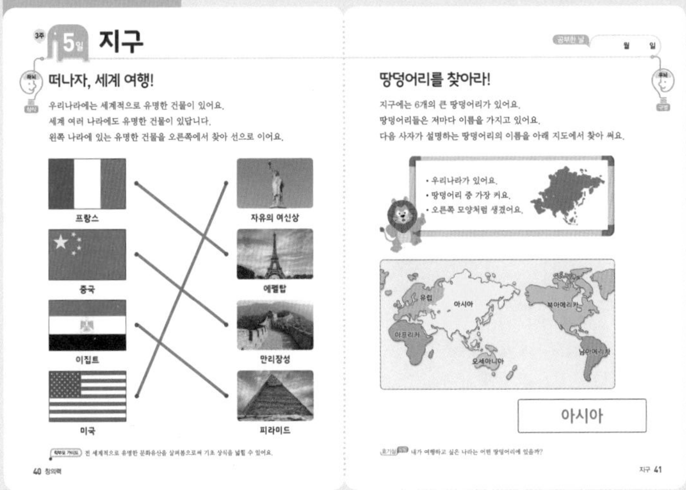

*42쪽

지구를 사랑해요

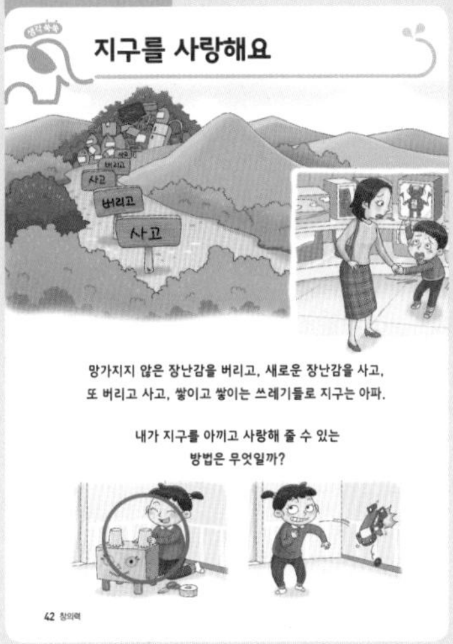

망가지지 않은 장난감을 버리고, 새로운 장난감을 사고,
또 버리고 사고, 쌓이고 쌓이는 쓰레기로 지구는 아파.

내가 지구를 아끼고 사랑해 줄 수 있는
방법은 무엇일까?

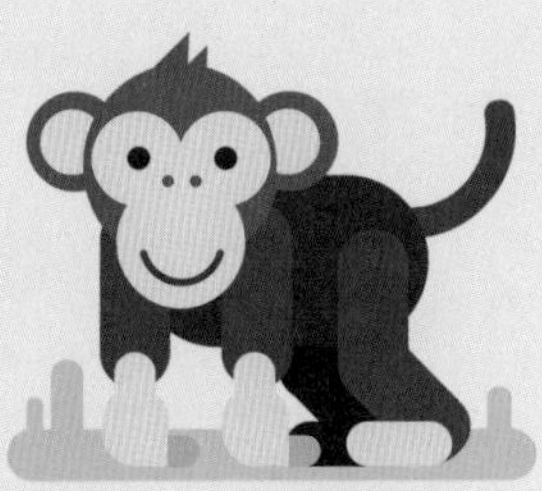

4주

＊44~45쪽

1일 국기

나라를 대표하는 얼굴은?

국기는 그 나라를 대표하는 깃발이에요.
다음 수수께끼를 풀어 각 나라의 국기를 찾아 번호를 쓰세요.

무엇이 같을까?

여러 나라의 국기 중에는 모양이나 색깔이 같아 헷갈리는 것들이 많아요.
다음 중 같은 색으로 이루어진 국기를 찾아 선으로 이어요.

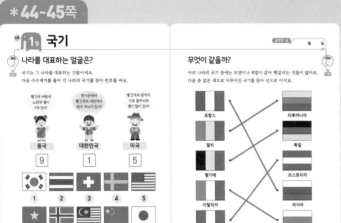

＊46~47쪽

2일 재료

맛있는 음식을 만들어 볼까?

우리가 먹는 음식에는 여러 가지 재료들이 들어가요.
세 사람에게서 얻은 재료가 모두 들어 있는 음식에 ○ 해요.

어떤 재료로 만들었을까?

우리 주변에는 모양은 다르지만 같은 재료로 만들어진 물건들이 많아요.
다음에서 같은 재료로 만든 물건끼리 선으로 이어요.

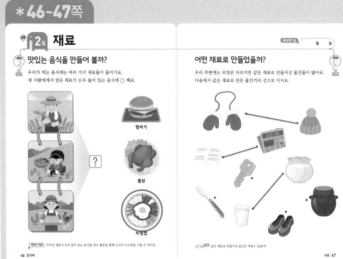

＊48~49쪽

3일 집

나는 몇 호에 살까?

여러 동물들이 같은 건물에 살고 있어요.
호랑이와 고양이가 사는 집의 호수를 보고,
기린과 사자의 집을 찾아 빈칸에 알맞은 숫자를 쓰세요.

어떤 집을 만들 수 있을까?

세계 각 지역의 사람들은 더위나 추위를 피하기 위해
다양한 재료로 여러 가지 모양의 집을 짓고 살아요.
왼쪽의 물건들로 만들 수 있는 집을 오른쪽에서 찾아 선으로 이어요.

기린의 집은 102 호, 사자의 집은 303 호예요.

＊50~51쪽

4일 생활 도구

어디에 쓰는 물건일까?

우리 주변에는 쓰임이 같은 물건들이 있어요.
왼쪽의 물건과 쓰임이 같은 물건을 오른쪽에서 찾아 ○ 해요.

모양이 같은 부분을 찾아봐!

정돈은 같은 모양을 그릴 수 있는 물건끼리 모았어요.
주어진 물건으로 그릴 수 있는 모양을 찾아 색칠해요.

＊52~53쪽

5일 음식

동물 친구들아, 고마워!

우리가 먹는 음식 중에는 동물의 알이나 살로 만든 것들이 있어요.
왼쪽 음식을 만드는 데 도움을 주는 동물을 오른쪽에서 찾아 선으로 이어요.

마법 냄비만 있으면 나도 요리사!

재료만 넣으면 맛있는 음식을 만들어 주는 마법 냄비가 있어요.
주어진 재료를 마법 냄비에 넣었을 때 만들어지는 음식을 찾아 ○ 해요.

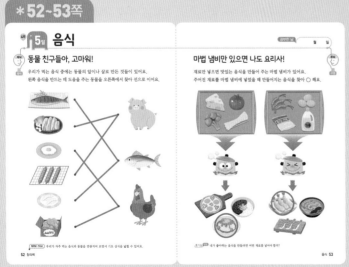

＊54쪽

모르는 사람을 따라가지 않아요

나는 유치원이 끝난 후 놀이터에서 놀고 있었어.
그런데 엄마가 잠깐 집에 간 사이에 모르는 아줌마가
다가와서 아이스크림을 사 준다고 했어.

나는 어떻게 행동해야 할까?

5주

1일 시간

누가 버스에 타고 내렸을까?

동물들이 집에 가기 위해 버스에 탔어요.
그림에서 5분 후에 버스에서 내린 동물은 ✕,
자리를 바꾼 동물은 △, 버스에 새로 탄 동물은 ○ 해요.

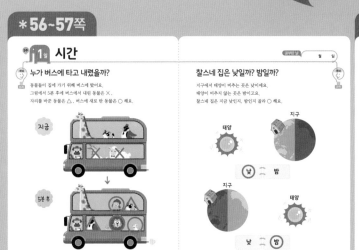

지금

5분 후

찰스네 집은 낮일까? 밤일까?

지구에서 태양이 비추는 곳은 낮이에요.
태양이 비추지 않는 곳은 밤이고요.
찰스네 집은 지금 낮인지, 밤인지 골라 ○ 해요.

태양

지구

낮 = 밤

지구

태양

낮 = **밤**

2일 태풍

태풍이 오면 안전한 집은?

아기 돼지 삼형제가 각각 다른 재료로 집을 지었어요. 그런데, 강한 바람이 휘몰아쳐요. 태풍이 오고 있어요. 태풍이 오면 어떤 재료로 만든 집이 가장 안전한지 1부터 3까지 가장 안전한 순서대로 숫자를 써요.

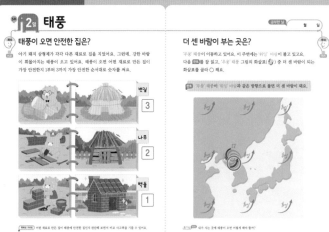

벗짚 `3`

나무 `2`

벽돌 `1`

더 센 바람이 부는 곳은?

'우웅' 태풍이 이동하고 있어요. 이 주변에는 '위잉' 바람이 불고 있고요. 다음 그림을 잘 읽고, '우웅' 태풍 그림의 화살표(○) 중 더 센 바람이 되는 화살표를 골라 ○ 해요.

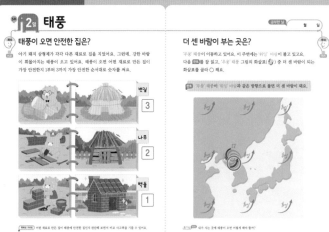

3일 지진

지진이 일어났어!

강한 지진일수록 위험해요 지진 피해가 커요.
그림에서 지진 피해가 가장 큰 곳은 9를 쓰고,
중간인 곳은 5를 쓰고, 가장 작은 곳은 1을 써요.

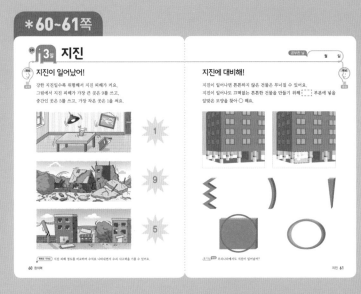

`1`

`9`

`5`

지진에 대비해!

지진이 일어나면 튼튼하지 않은 건물은 무너질 수 있어요. 지진이 일어나도 끄떡없는 튼튼한 건물을 만들기 위해 ⬚ 부분에 넣을 알맞은 모양을 찾아 ○ 해요.

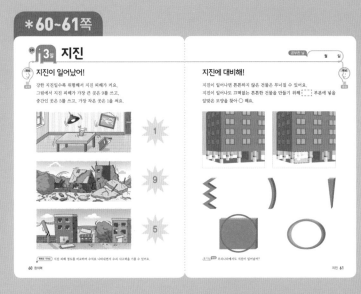

4일 기온

어느 나라에서 왔을까?

다른 나라에 사는 이크모 남매가 대한민국에 놀러 왔어요.
이크모 남매는 추운 나라에 살고 있어요.
이크모 남매가 살고 있는 나라의 이름을 찾아 ○ 해요.

온도계의 눈금이 위에 있을수록 덥고, 아래에 있을수록 추워요.

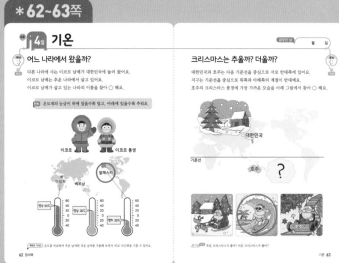

이크모

이크모 동생

이집트 베트남 알래스카

크리스마스는 추울까? 더울까?

대한민국과 호주는 다음 기준선을 중심으로 서로 반대쪽에 있어요.
지구는 기준선을 중심으로 위쪽과 아래쪽의 계절이 반대예요.
호주의 크리스마스 풍경에 가장 가까운 모습을 아래 그림에서 찾아 ○ 해요.

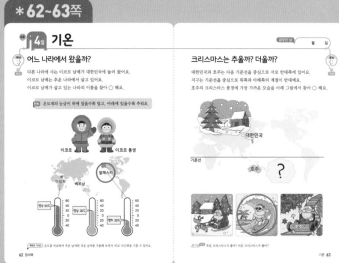

대한민국

기준선

호주 ?

5일 계절

어떤 계절이 떠올라?

우리나라는 봄, 여름, 가을, 겨울 사계절이 있어요.
카드에 적힌 낱말을 보고, 공통적으로 생각나는 계절을 써요.

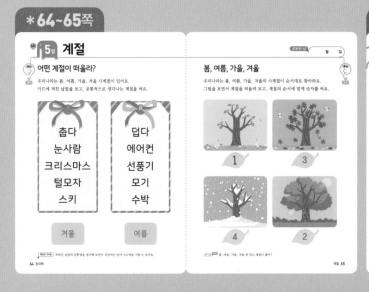

춥다
눈사람
크리스마스
털모자
스키

덥다
에어컨
선풍기
모기
수박

겨울

여름

봄, 여름, 가을, 겨울

우리나라는 봄, 여름, 가을, 겨울의 사계절이 순서대로 찾아와요.
그림을 보면서 계절을 떠올려 보고, 계절의 순서에 맞게 숫자를 써요.

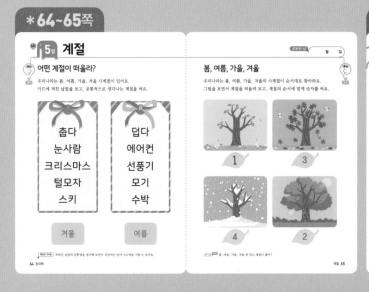

`1`

`3`

`4`

`2`

감정을 표현해 봐요

감정은 느끼는 것만큼이나 잘 표현하는 것이 중요해.
솔직한 마음을 잘 표현하면 믿음도 만들어지고,
믿음이 커지면 사이도 좋아지기 때문이야.

은우가 장난감을 망가뜨리고,
지우가 내 과자를 다 먹어 버렸어.
난 어떻게 감정을 표현해야 할까?

은우에게 '버럭' 화를 내야 해.
화를 내야 기분이 좋아지거든.

화를 내면 내 기분도 안 좋아지니
까 지우한테 왜 그렇게 먹어 보
고 속상한 마음을 말로 표현해.

정답 **131**

6주

68~69쪽

1일 식물

키가 크고 싶다면?

토끼야 소미가 똑같은 종류와 크기의 식물을 키우고 있어요.
그림에서 식물의 키가 크려면 무엇이 필요한지 모두 찾아 ○ 해요.

뿌리, 줄기, 잎이 사라졌어!

해리의 투명 망토가 바람에 날려 식물에 걸려 있어요.
투명 망토가 식물의 어느 부분을 사라지게 하였는지 빈칸에 써요.

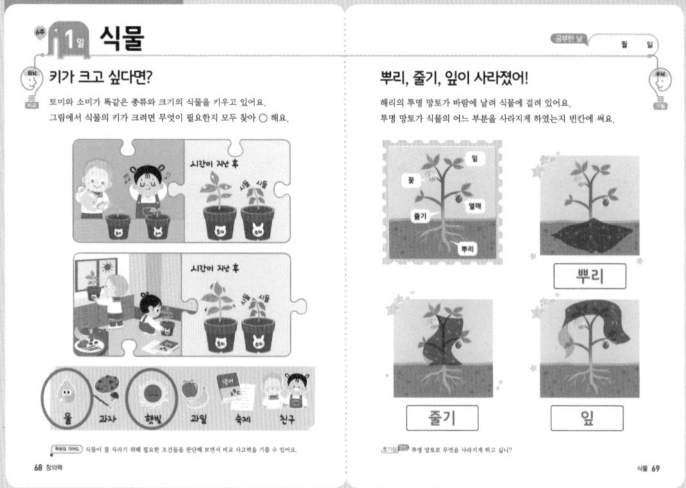

뿌리

줄기   잎

70~71쪽

2일 꽃

꽃의 이름을 완성해 줘!

네버랜드에 이름없는 꽃들이 피었어요.
다음 자음자를 보고, 빈칸에 꽃의 모습과 어울리는 이름을 완성해 주세요.

할미꽃

은방울꽃

달걀꽃

꽃의 이름을 찾아 줘!

사라 마녀가 꽃에 마법을 걸어서 꽃의 이름이 사라졌어요.
암호를 풀어서 꽃의 이름을 찾아 빈칸에 써요.

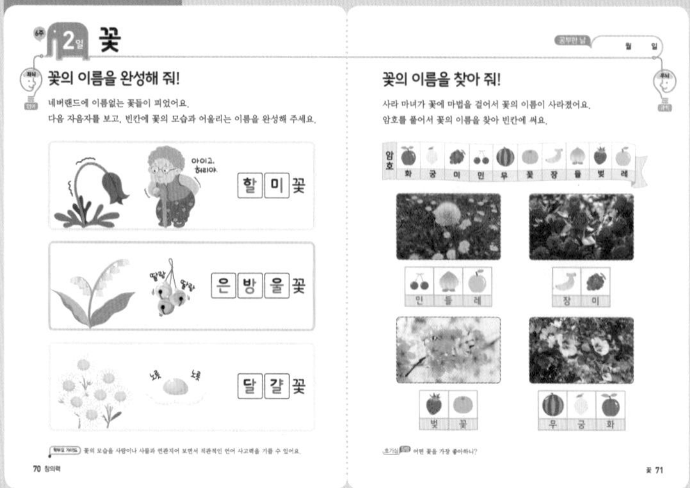

72~73쪽

3일 나무

나무의 이름을 완성해 줘!

네버랜드에 이름없는 나무들이 자라났어요. 다음 자음자와 그림을 보고
떠오르는 낱말을 합쳐서 빈칸에 나무의 이름을 완성해 주세요.

쥐똥나무

병꽃나무

숲속 운동회를 열어 볼까?

숲속 나뭇잎들이 모양에 따라 팀을 나누어 숲속 운동회를 열었어요.
동글동글한 두두팀에는 ○, 길쭉길쭉한 말라팀에는 △ 해요.

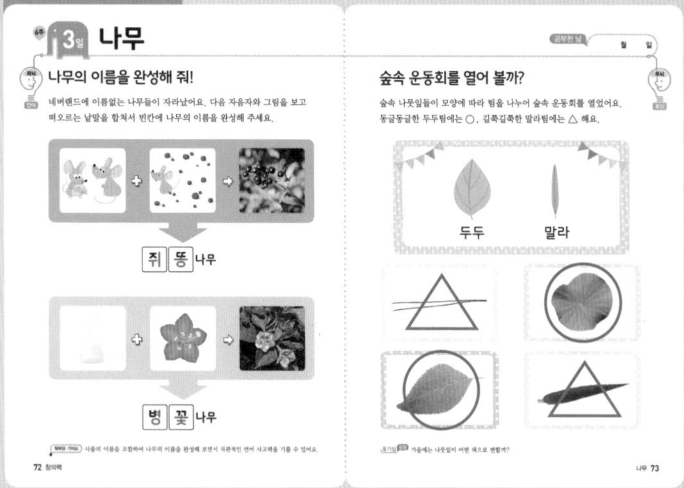

두두   말라

74~75쪽

4일 과일

똑같은 양의 과일을 먹으려면?

악어와 하마가 똑같은 양의 과일을 먹을 때, 빈칸에 알맞은 수를 쓰고,
악어가 수박 1개를 먹을 때, 하마는 사과를 몇 개 먹을 수 있는지 써요.

1개 = 2 개

3 = 1개

1개 = 6 개

과일의 속을 들여다 볼까?

속을 들여다 볼 수 있는 요술 돋보기가 있어요.
요술 돋보기로 보이는 과일의 모습을 선으로 이어요.

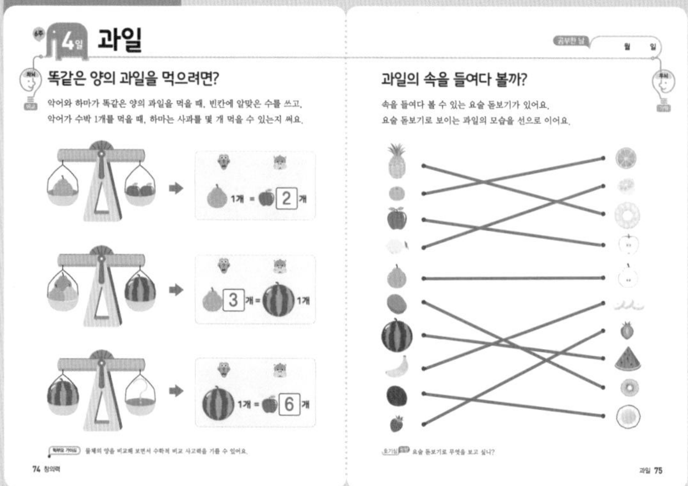

76~77쪽

5일 채소

인기 스타 채소를 뽑아 줘!

캐리 유치원에서는 친구들이 가장 좋아하는 채소로 간식을 만들려고 해요.
친구들이 다음과 같이 가장 좋아하는 채소에 동그라미 스티커를 붙였어요.
가장 많은 스티커가 붙어 있는 인기 스타 채소를 찾아 ○ 해요.

인기 스타 채소는 누구!?

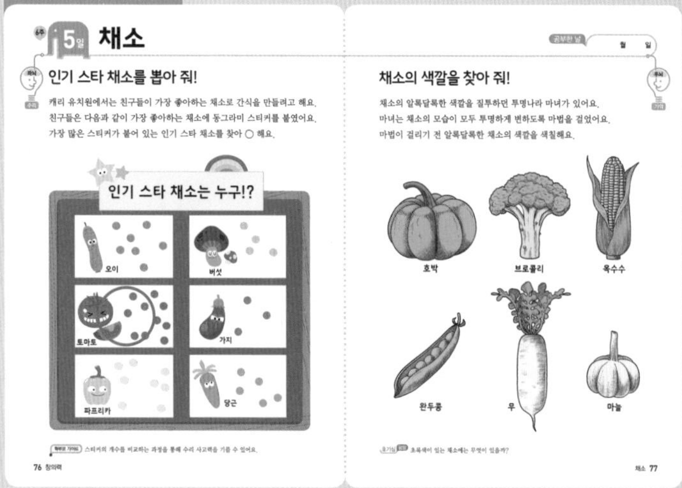

오이   버섯

토마토   가지

파프리카   당근

채소의 색깔을 찾아 줘!

채소의 알록달록한 색깔을 질투하면 투명나라 마녀가 있어요.
마녀는 채소의 모습이 모두 투명하게 변하도록 마법을 걸었어요.
마법이 걸리기 전 알록달록한 채소의 색깔을 색칠해요.

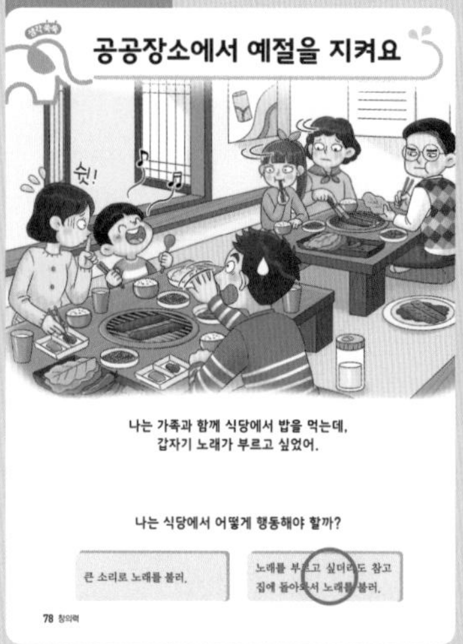

호박   브로콜리   옥수수

완두콩   무   마늘

78쪽

공공장소에서 예절을 지켜요

나는 가족과 함께 식당에서 밥을 먹는데,
갑자기 노래가 부르고 싶었어.

나는 식당에서 어떻게 행동해야 할까?

큰 소리로 노래를 불러.   노래를 부르고 싶더라도 참고
집에 돌아가서 노래를 불러.

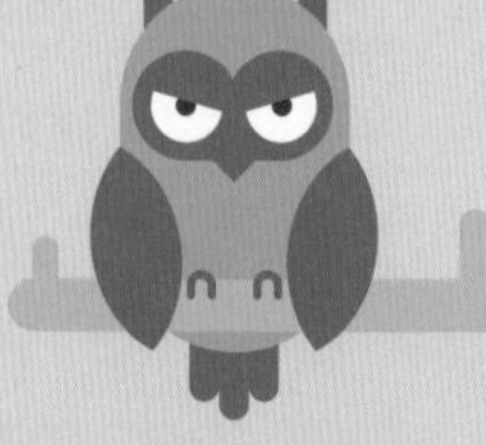

*80~81쪽

1일 탈것

개수를 세어 봐!

우리 주변의 탈것에는 바퀴가 있는 것과 없는 것이 있어요.
탈것의 바퀴 수와 관련 있는 것끼리 선으로 이어요.

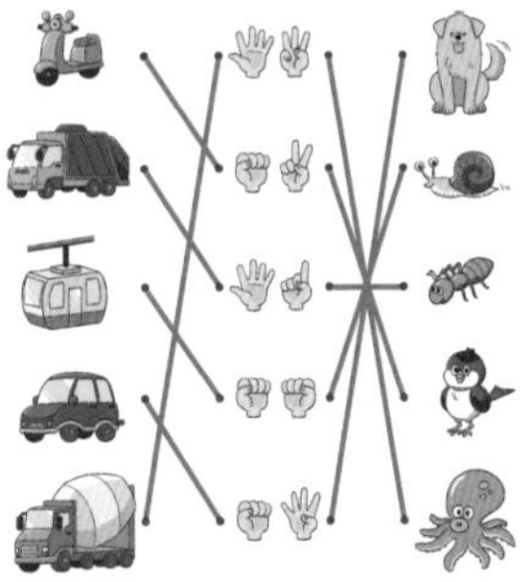

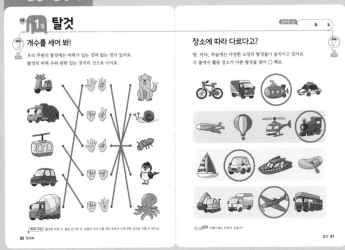

장소에 따라 다르다고?

땅, 바다, 하늘에는 다양한 모양의 탈것들이 움직이고 있어요.
각 줄에서 활동 장소가 다른 탈것을 찾아 ○ 해요.

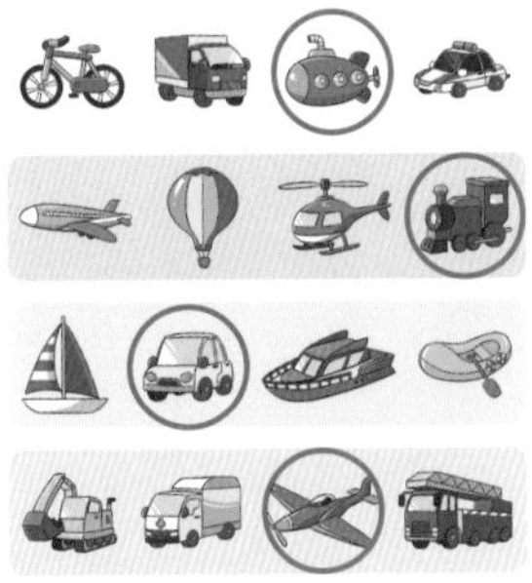

*82~83쪽

2일 톱니바퀴

어떻게 움직일까?

규민이가 공원에서 자전거를 타고 있어요.
자전거의 발걸이와 뒷바퀴가 다음과 같이 연결되어 있을 때,
두 톱니바퀴가 움직이는 방향을 바르게 나타낸 것을 찾아 ○ 해요.

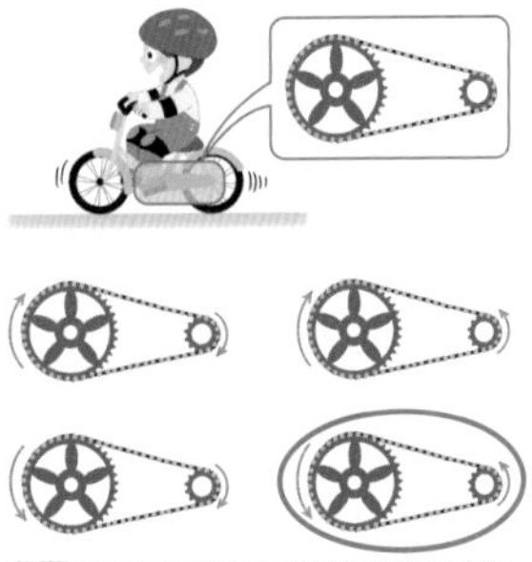

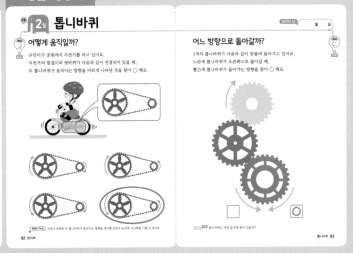

어느 방향으로 돌아갈까?

3개의 톱니바퀴가 다음과 같이 맞물려 돌아가고 있어요.
노란색 톱니바퀴가 오른쪽으로 돌아갈 때,
빨간색 톱니바퀴가 돌아가는 방향을 찾아 ○ 해요.

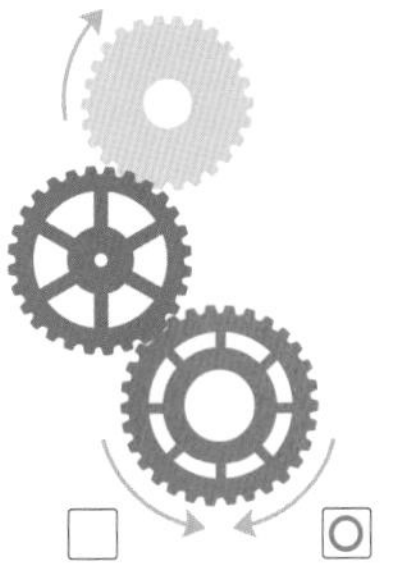

*84~85쪽

3일 지도

집에 빨리 가고 싶어!

노라 유치원에 다니는 친구들의 집이 표시된 그림이에요.
모든 친구들이 가장 짧은 시간 안에 집에 도착하려면,
친구들의 집을 어떤 순서로 지나가야 하는지 친구들의 이름을 써요.

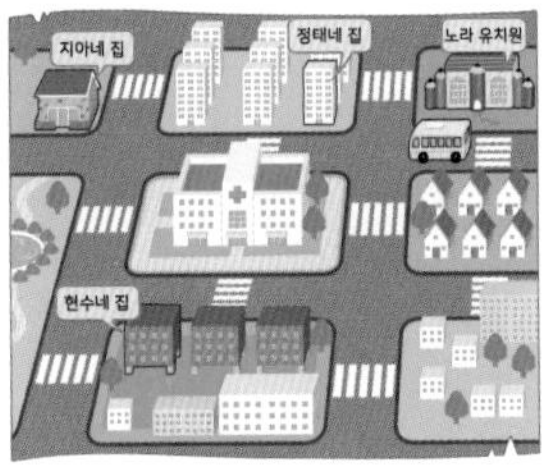

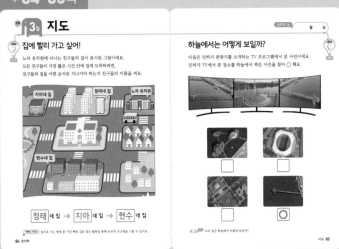

정태 네 집 → 지아 네 집 → 현수 네 집

하늘에서는 어떻게 보일까?

다음은 민하가 관광지를 소개하는 TV 프로그램에서 본 사진이에요.
민하가 TV에서 본 장소를 하늘에서 찍은 사진을 찾아 ○ 해요.

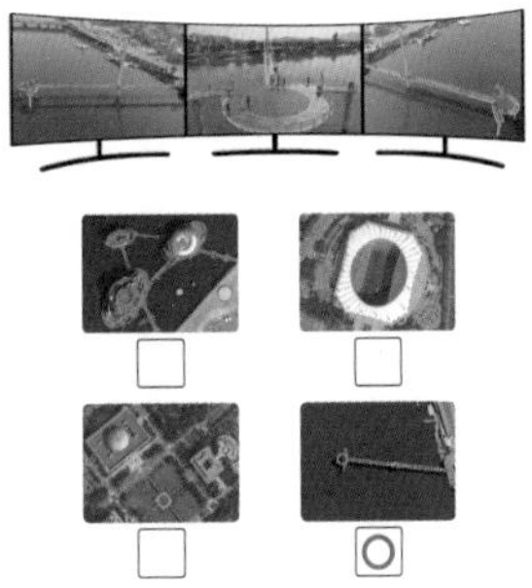

*86~87쪽

4일 길

학교로 가는 길!

수현이는 내년 3월이 되면 초등학교에 가요.
집에서 학교까지 가는 길에 ●이 모두 10개가 되도록 선을 그어요.

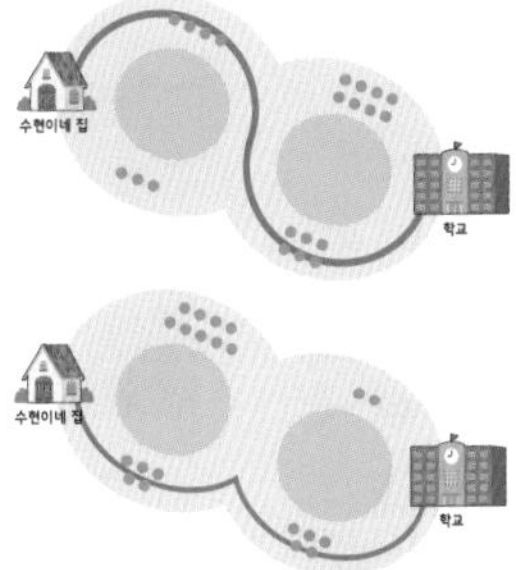

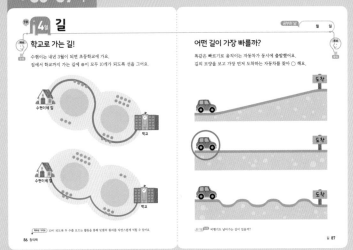

어떤 길이 가장 빠를까?

똑같이 빠르기로 움직이는 자동차가 동시에 출발했어요.
길의 모양을 보고 가장 먼저 도착하는 자동차를 찾아 ○ 해요.

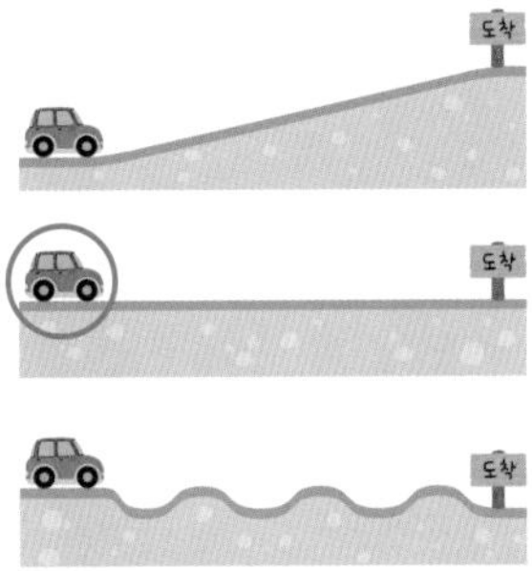

도착
도착
도착

*88~89쪽

5일 건물

블록을 쌓아 보자!

세계 여러 나라의 높은 건물을 작게 만든 모형이에요.
의 블록을 이용하여 잰 각 건물의 높이를 빈칸에 써요.

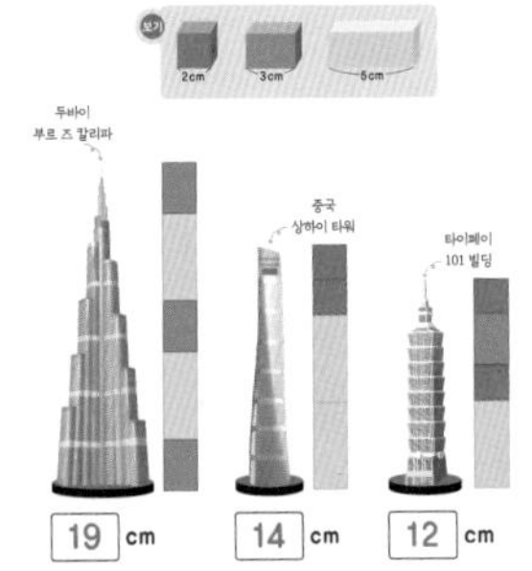

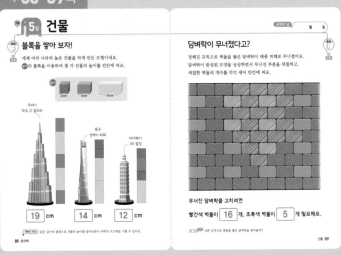

19 cm   14 cm   12 cm

담벼락이 무너졌다고?

정해진 규칙으로 벽돌을 쌓은 담벼락이 태풍 피해로 무너졌어요.
담벼락이 완성된 모양을 상상하면서 무너진 부분을 색칠하고,
색칠한 벽돌의 개수를 각각 세어 빈칸에 써요.

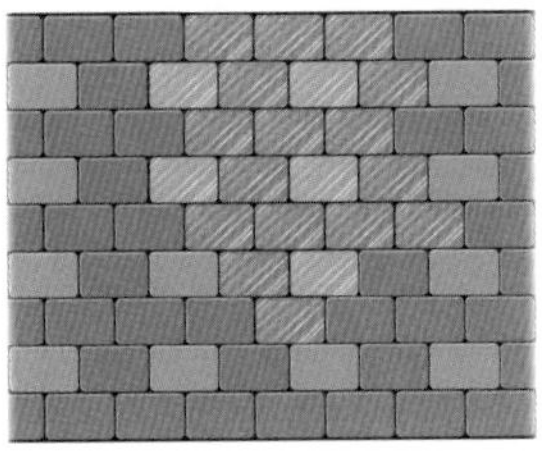

무너진 담벼락을 고치려면
빨간색 벽돌이 16 개, 초록색 벽돌이 5 개 필요해요.

*90쪽

안전하게 길을 건너요

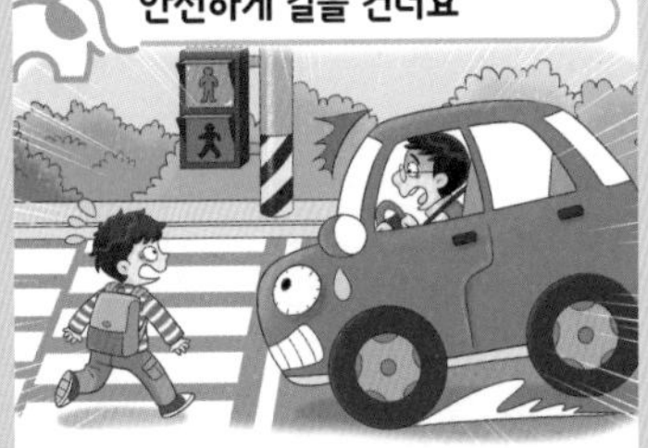

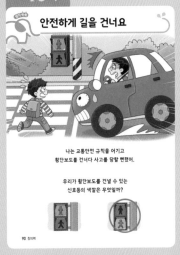

나는 교통안전 규칙을 어기고
횡단보도를 건너다 사고를 당할 뻔했어.

우리가 횡단보도를 건널 수 있는
신호등의 색깔은 무엇일까?

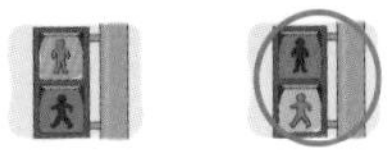

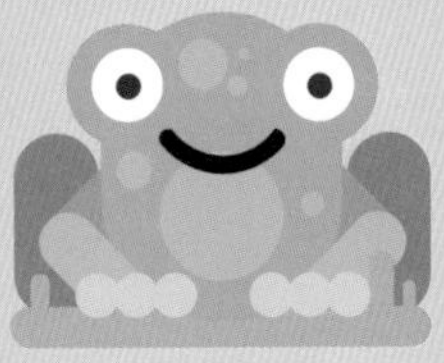

8주

★92~93쪽

1일 화석

가장 오래된 화석은?

쥐라기 공원에 있는 화석은 다음 그림과 같은 순서로 땅속에 쌓여 있어요.
땅속에 묻힌 가장 오래된 화석을 찾아 ○ 해요.

어떤 공룡의 뼈일까?

박물관에 도둑이 들어 공룡의 뼈가 바닥에 여기저기 떨어져 있어요.
각 뼈의 주인을 찾아 선으로 이어요.

★94~95쪽

2일 자석

자석 친구들을 모여라!

우리 마을에 비가 많이 내려 홍수가 났어요.
물건들이 물에 젖어 엉망이 되기 전에 자석 칠판에 붙여야 해요.
자석 칠판에 붙는 물건을 찾아 ○ 해요.

공룡 렉스를 구해 줘!

공룡 렉스가 탄 배가 보니에게서 점점 멀어지고 있어요.
배 안에는 자석이 있어요.
자석을 이용하여 렉스를 구할 수 있는 방법을 찾아 ○ 해요.

★96~97쪽

3일 전기

전기가 필요해!

여기는 햇살마을 놀이방이에요.
장난감 중에는 전기를 이용하는 것과 이용하지 않는 것이 있어요.
전기를 이용한 소리가 나거나 움직이는 장난감에 모두 ○ 해요.

건전지를 넣어 줘!

은우는 부모님에게 로봇 장난감을 선물로 받았어요.
장난감은 아래 그림과 같은 모양으로 건전지를 넣어야 움직여요.
로봇 장난감에 건전지를 바르게 넣은 그림을 찾아 ○ 해요.

★98~99쪽

4일 에너지

어떤 에너지가 필요할까?

이럴 수가! 문제가 생겼어요. 여러분이 해결사가 되어 각 상황에서
필요한 것을 아래 그림에서 찾아 빈칸에 써요.

태 양
음 식
전 기

태양   전기   음식

변신! 재활용 쓰레기

쓰레기를 넣으면 그것을 재료로 다른 물건을 만드는 마법의 쓰레기통이 있어
요. 깨진 유리를 마법의 쓰레기통에 넣으면 만들어질 물건을 찾아 ○ 해요.

사탕   유리병   바퀴   풍화력

★100~101쪽

5일 드론과 로봇

드론을 날려 볼까?

드론 박사님이 드론 운전법을 알려 주고 계세요.
첫 임무는 드론을 위로 올려서 왼쪽 앞으로 나아가게 하는 것이에요.
임무를 수행하려면 어떻게 조정해야 하는지 화살표로 나타내요.

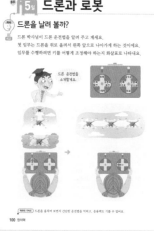

택배를 부탁해!

택배를 배달해 주는 택배 로봇이 있어요.
택배 로봇은 다음과 같은 모양으로 움직여요.
아래의 번호를 순서대로 눌렀을 때 택배 로봇이 도착하는 곳에 ○ 해요.

- 1을 누르면 앞으로 한 칸 이동해요.
- 2를 누르면 오른쪽으로 두 칸 이동해요.
- 3을 누르면 왼쪽으로 한 칸 이동해요.

1 → 2 → 1 → 3 → 1

★102쪽

거짓말은 안 돼요

내가 거짓말을 하면
상대방이 기분이 나쁘고, 내 마음도 불편해.
하지만 우리는 사실대로 말하기 싫을 때도 있고,
엄마한테 혼날까봐 거짓말을 할 때도 있어.

만약, 거짓말을 했다면 어떻게 해야 할까?

거짓말을 했다는 것을 들키지 않게 새로운 거짓말을 해요.

거짓말한 이유를 솔직히 말하고, 다음부터는 거짓말을 하면 안 돼.

9주

*104~105쪽

1일 우리 몸 밖

나의 겉모습은?

뼈는 우리 몸을 지탱하면서 몸속에 있는 여러 기관을 보호해 줘요.
가려진 부분에 알맞은 겉모습을 찾아 번호를 쓰세요.

무엇이 보이니?

엄청 크게 보이는 요술 돋보기로 우리 몸의 어떤 곳을 관찰한 모습이에요.
우리 몸 중 알맞은 부분을 찾아 ○ 하세요.

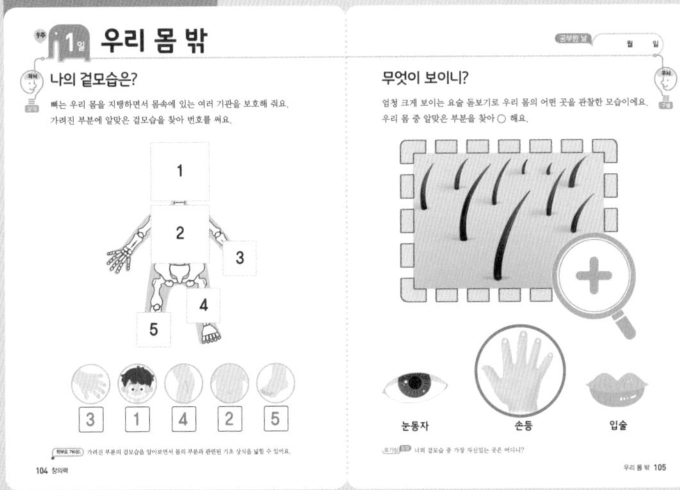

2일 우리 몸속

몸속에는 무엇이 있을까?

우리 몸속에는 눈에는 안 보이지만 중요한 역할을 하는 것들이 있어요.
몸속에 있는 것들을 모두 골라 ○ 하세요.

몸속 여행을 떠나자!

우리가 먹은 음식이 소화되는 과정을 나타낸 것이에요.
알맞은 소화 기관의 이름을 오른쪽에서 찾아 써 보세요.

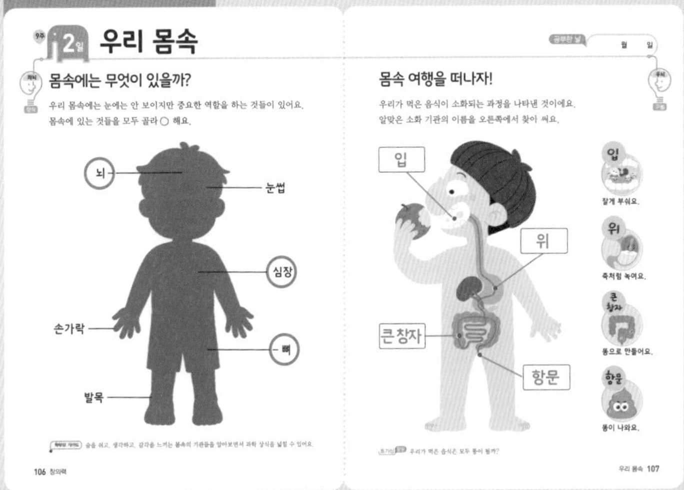

*108~109쪽

3일 몸의 감각

음식이 맛있는 이유는?

음식의 맛은 혀뿐만 아니라 음식의 모양, 냄새, 소리로도 느낄 수 있어요.
다음과 같이 행으로 느낄 수 있는 감각을 보고,
알맞은 몸의 부분을 아래에서 찾아 써 보세요.

너의 몸을 느껴 봐!

우리 몸은 서로 다른 다섯 가지 감각을 느낄 수 있어요.
다음과 같은 감각을 느낄 수 있는 몸의 부분을 찾아 선으로 이어요.

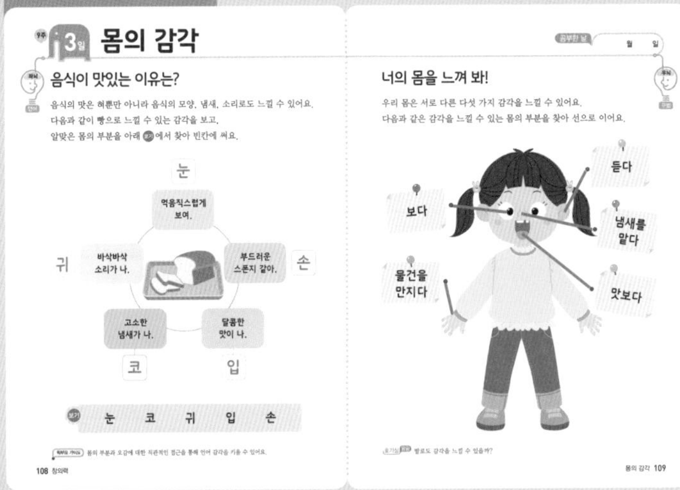

*110~111쪽

4일 돈

어떤 장난감을 살 수 있을까?

윤서는 지갑에 들어 있는 돈으로 장난감 1개를 사려고 해요.
윤서가 살 수 있는 장난감을 모두 찾아 △ 해요.

그림자의 주인공을 찾아라!

돈에는 우리나라를 대표하는 훌륭한 분들의 얼굴이 그려져 있어요.
그림자 부분에 들어갈 알맞은 사람을 찾아 선으로 이어요.

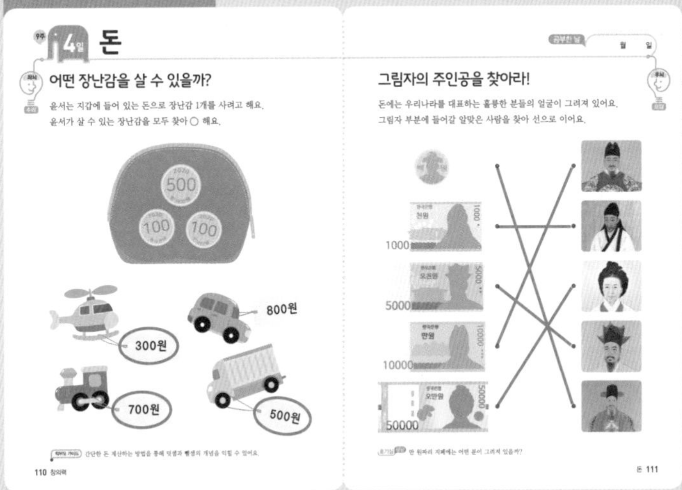

*112~113쪽

5일 암호

거울에 비친 모양은?

하마네 가족들만 알 수 있도록 현관문 위에 비밀번호를 암호로 써 놓았어요.
암호의 아래쪽에 거울을 비춰 보면 비밀번호를 알 수 있대요.
하마네 집의 비밀번호를 찾아 ○ 해요.

암호를 풀어 봐!

은빛이는 친구에게 카드를 받았어요.
카드는 암호로 되어 있어서 무슨 내용인지 알 수 없어요.
암호판을 이용하여 빈칸에 알맞은 글자를 쓰세요.

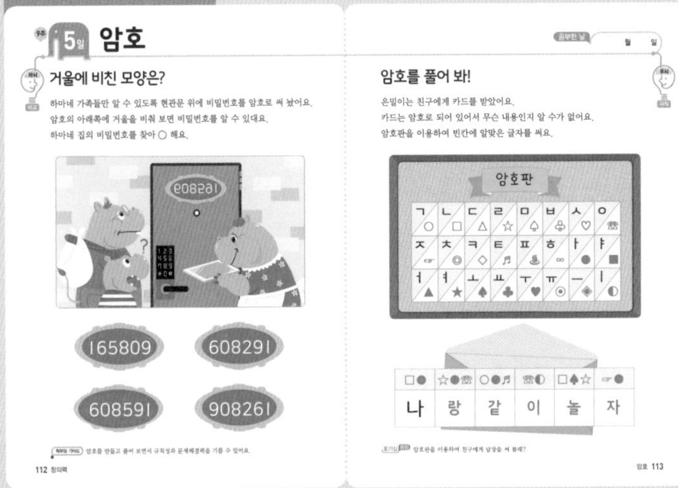

*114쪽

몸을 깨끗이 씻어요

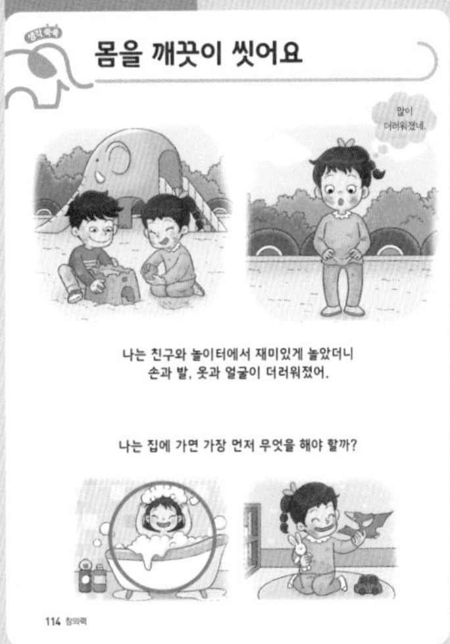

나는 친구와 놀이터에서 재미있게 놀았더니
손과 발, 옷과 얼굴이 더러워졌어.

나는 집에 가면 가장 먼저 무엇을 해야 할까?

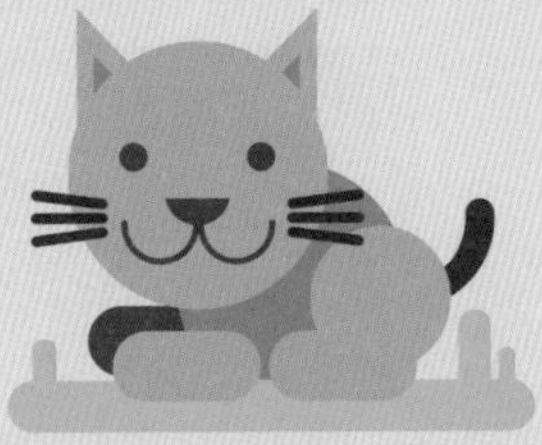

10주

* 116~117쪽

1일 소리 놀이

가자, 동물 농장으로!

유치원에서 동물 농장으로 체험 학습을 갔어요.
소리를 잘 듣고, 농장에 없는 동물을 찾아 ✕ 해요.

어떤 소리가 들릴까?

사진의 장소에서 들리는 소리를 찾으려고 해요.
소리를 잘 듣고, 알맞은 번호에 ○ 해요.

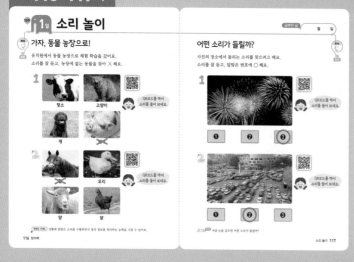

* 118~119쪽

2일 면봉 놀이

어떤 순서로 쌓은 걸까?

면봉을 하나의 순서대로 쌓았어요.
맨 위에 있는 면봉부터 순서대로 숫자를 써요.

세모, 네모 모양을 만들어 봐!

면봉 4개를 빼서 왼쪽과 같은 모양 5개가 남도록 하려고 해요.
빼내야 하는 면봉에 ✕ 해요.

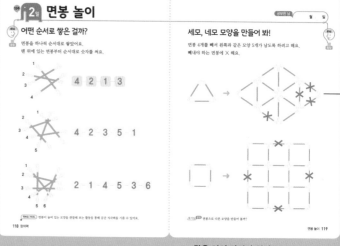

* 답은 여러 가지가 있어요.

* 120~121쪽

3일 숫자 놀이

같은 숫자가 있으면 안 돼!

가로, 세로뿐만 아니라 4칸으로 나누어진 빨간색 사각형 안으로도
1, 2, 3, 4가 각각 하나씩 들어 있어야 해요.
빈칸에 알맞은 숫자를 써요.

세 수의 합이 같으려면?

거북 등에 그려진 모양에 1, 2, 3, 4, 5를 한 번씩 써넣어
같은 줄에 있는 세 수의 합이 모두 같게 만들려고 해요.
빈칸에 알맞은 숫자를 써요.

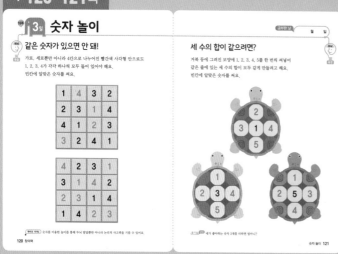

* 답은 여러 가지가 있어요.

* 122~123쪽

4일 블록 놀이

어떤 모양을 만들 수 있을까?

2개의 블록으로 모양을 만들려고 해요.
만들 수 있는 모양이면 ○, 만들 수 없는 모양이면 ✕ 해요.

뒤집거나 돌려서 맞춰 봐!

같은 블록을 여러 개 사용하여 네모 모양을 만들려고 해요.
네모 모양이 되도록 오른쪽에 선을 그어요.

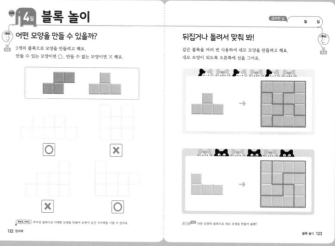

* 답은 여러 가지가 있어요.

* 124~125쪽

5일 나누기 놀이

혼자 있고 싶어!

긴 막대 4개로 각각의 동물이 자신만의 공간을 갖도록 나누려고 해요.
어떻게 나누어야 할지 선을 그어요.

같은 모양으로 땅을 나누어 볼까?

땅을 주어진 모양과 같게 나누려고 해요.
각각의 집에 나무가 한 그루씩 있도록 선을 그어요.

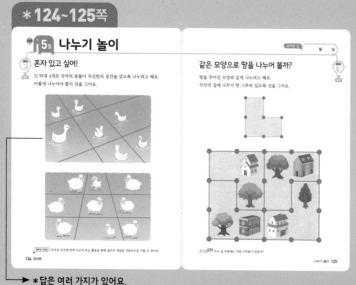

* 답은 여러 가지가 있어요.

* 126쪽

친구와 사이좋게 지내요

나는 유치원이 끝나고 놀이터에 갔어.
민준이와 지아가 시소를 타고 있었지.
'나도 친구와 함께 놀고 싶은데.'

나는 어떻게 해야 할까?